Andrzej Moszczyński jest autorem 23 książek, 34 wykładów oraz 3 kursów. Pasjonuje go zdobywanie wiedzy z obszaru psychologii osobowości i psychologii pozytywnej.
Ponad 700 razy wystąpił jako prelegent podczas seminariów, konferencji czy kongresów mających charakter społeczny i charytatywny.

Regularnie się dokształca i korzysta ze szkoleń takich organizacji edukacyjnych jak: Harvard Business Review, Ernst & Young, Gallup Institute, PwC.

Jego zainteresowania obejmują następujące tematy: potencjał człowieka, poczucie własnej wartości, szczęście, kluczowe cechy osobowości, w tym między innymi odwaga, wytrwałość, wnikliwość, entuzjazm, wiara w siebie, realizm. Obszar jego zainteresowań stanowią również umiejętności wspierające bycie zadowolonym człowiekiem, między innymi: uczenie się, wyznaczanie celów, planowanie, asertywność, podejmowanie decyzji, inicjatywa, priorytety. Zajmuje się też czynnikami wpływającymi na dobre relacje między ludźmi (należą do nich np. miłość, motywacja, pozytywna postawa, wewnętrzny spokój, zaufanie, mądrość).

Od ponad 30 lat jest przedsiębiorcą. W latach dziewięćdziesiątych był przez dziesięć lat prezesem spółki działającej w branży reklamowej i obejmującej zasięgiem cały kraj. Od 2005 r. do 2015 r. był prezesem spółki inwestycyjnej, która komercjalizowała biurowce, hotele, osiedla mieszkaniowe, galerie handlowe.

W latach 2009-2018 był akcjonariuszem strategicznym oraz przewodniczącym rady nadzorczej fabryki urządzeń okrętowych Expom SA. W 2014 r. utworzył w USA spółkę wydawniczą. Od 2019 r. skupia się przede wszystkim na jej rozwoju.

Inaczej o dobrym i mądrym życiu to książka o umiejętności stosowania strategii osiągania wartościowych celów. Autor opisuje 22 aspekty, które prowadzą do bycia mądrym. W jakim znaczeniu mądrym?

Mądry człowiek jest skupiony na działaniu ukierunkowanym na podnoszenie jakości życia, zarówno swojego, jak i innych. O tym jest ta książka: o byciu szczęśliwym, o poznaniu siebie, by zajmować się tym, w czym mamy największy potencjał, o rozwinięciu poczucia własnej wartości, które jest podstawowym czynnikiem utrzymywania dobrych relacji z samym sobą i innymi ludźmi, o byciu odważnym, wytrwałym, wnikliwym, entuzjastycznym, posiadającym optymalną wiarę w siebie, a także o byciu realistą.

Mądrość to umiejętność czynienia tego, co szlachetne. Z takiego podejścia rodzą się następujące czyny: nie osądzamy, jesteśmy tolerancyjni, życzliwi, pokorni, skromni, umiejący przebaczać. Mądry człowiek to osoba asertywna, wyznaczająca sobie pozytywne cele, ustalająca priorytety, planująca swoje działania, podejmująca decyzje i przyjmująca za nie odpowiedzialność. Mądrość to też zaufanie do siebie i innych, bycie zmotywowanym i posiadającym jasne wartości nadrzędne (do których najczęściej należą: miłość, szczęście, dobro, prawda, wolność).

Autor książki opisuje proces budowania mentalności bycia mądrym. Wszechobecna indoktrynacja jest przeszkodą na tej drodze. Jeśli jakaś grupa nie uczy tolerancji, przekazuje fałszywy obraz bycia zadowolonym człowiekiem, to czy można mówić o uczeniu się mądrości? Zdaniem autora potrzebujemy mądrości niemal jak powietrza czy czystej wody. W tej książce będziesz wielokrotnie zachęcany do bycia mądrym, co w rezultacie prowadzi też do bycia szczęśliwym i spełnionym.

Szczegóły dostępne na stronie:
www.andrewmoszczynski.com

Andrzej Moszczyński

SUKCESY SAMOUKÓW

KRÓLOWIE WIELKIEGO BIZNESU

CZ. 1

2021

Redaktor prowadzący:
Alicja Kaszyńska

Zespół redakcyjny:
Anna Imbiorkiewicz, Karolina Kruk, Ewa Ossowska, Barbara Strojnowska, Krystyna Stroynowska, Dorota Śrutowska, Robert Ważyński

Projekt okładki:
Mateusz Rossowiecki

Korekta oraz skład i łamanie:
Wydawnictwo Online
www.wydawnictwo-online.pl

Wydanie I

ISBN 978-83-65873-78-1

Wydawca:

ANDREW MOSZCZYNSKI
INSTITUTE

Andrew Moszczynski Institute LLC
1521 Concord Pike STE 303
Wilmington, DE 19803, USA
www.andrewmoszczynski.com

Licencja na Polskę:
Andrew Moszczynski Group sp. z o.o.
ul. Grunwaldzka 472, 80-309 Gdańsk
www.andrewmoszczynskigroup.com

Ukochanym córkom
Mai i Oli

SPIS TREŚCI

„Nie ma rzeczy niemożliwych,
są tylko trudniejsze do wykonania".

Aleksander Wielki

Wprowadzenie

Niniejsza książka to pierwsza część serii zawierającej łącznie 50 biografii przedsiębiorców samouków.

Dzisiejszy system edukacji - publiczny, obowiązkowy, państwowy - charakteryzują dyscyplina, posłuszeństwo i autorytaryzm. Opiera się na oświeceniowym twierdzeniu, że człowiek jest *tabula rasa*, więc można go dowolnie kształtować i najpełniej rozwinął się w dziewiętnastowiecznych Niemczech Bismarcka.

Samoucy to ludzie, którzy zdołali wyłamać się z tego systemu i pójść własną drogą czy odnaleźć swoje miejsce w zupełnie innej branży niż ta, do której byli kształceni.

Dlaczego przedsiębiorcy? Dlatego, że nauczanie przedsiębiorczości w systemie szkolnym prawie nie istnieje. Szkoła przygotowuje nas – celowo – raczej do roli odbiorców i konsumentów niż twórców. Przygotowuje do szukania pracy, a nie rozwijania pasji w taki sposób, żeby stała się jednocześnie źródłem zarobku.

Przedsiębiorcy samoucy to bardzo liczna grupa ludzi – znacznie liczniejsza niż opisana w niniejszej serii. Większość z nich to ludzie od wczesnych lat życia mierzący się z trudnościami. Często pochodzili z biednych rodzin jak Andrew Carnegie albo już od dziecka musieli ciężko pracować, by pomóc rodzinie, jak miało to miejsce w przypadku Jeana-Claude'a Bourrelier'a. Tylko nieliczni – jak Anna Wintour – nie zaznali w dzieciństwie biedy.

Niektórym przedsiębiorcom samoukom wydajność, pomnażanie pieniędzy czy sukces materialny, przesłoniły to, co najważniejsze. Potrafili być bezwzględni i nadmiernie wymagający, zarówno od siebie, jak i od innych. Annę Wintour z powodu jej bezwzględności współpracownicy nazywali „nuklearną", a Tomasz Bata, Czech, którego buty zna cały świat, uważał, że „rzeczywistości nie można ulegać, lecz należy ją umiejętnie wykorzystywać do swoich celów".

Jednak dla większości to nie pieniądze same w sobie były życiowym drogowskazem i wyznacznikiem sukcesu. Andrew Carnegie wierzył, że to nie biznes daje satysfakcję, zaś pieniądze, które się dzięki niemu zdobywa, trzeba wykorzystać dla działania na rzecz innych. Stąd jego działalność charytatywna skierowana głównie do młodych ludzi. Zostawił nam zresztą nieocenioną radę: „Spędź pierwszą część życia, ucząc się, ile tylko możesz. Spędź kolejną część życia, zdobywając tak dużo pieniędzy, jak tylko możesz. Spędź trzecią część życia, przeznaczając wszystko, co masz, na wartościowe cele".

Warto, czytając niezwykłe historie 50 samouków biznesmenów, znajdować w nich to, co najcenniejsze. Wzmacniać w sobie wiarę w siebie i swoje marzenia. Nauczyć się od nich formułowania celów oraz entuzjazmu i determinacji w ich realizowaniu. Poznać, jak patrzyli na świat i co uznawali za największą wartość. Moim zdaniem, powinniśmy jednak przyglądać się tym historiom także krytycznie, a niektóre potraktować jak ostrzeżenie. Życie bowiem, jeśli jego największą wartością jest pieniądz, nie przyniesie szczęścia i nie będzie prawdziwym sukcesem, bo jak mówi John Paul DeJoria: „Aby odnieść sukces, musisz kochać ludzi, kochać swój produkt i kochać to, co robisz", zaś Amando Ortega Gaona, twórca marki odzieżowej Zara, wyznający tradycyjne wartości: wiarę i rodzinę, konkluduje: „Doszedłem do takich pieniędzy, ponieważ pieniądze nigdy nie były dla mnie celem".

Zapraszam do inspirującej lektury pierwszych 10 biografii przedsiębiorców samouków.

Andrzej Moszczyński

Amadeo Peter Giannini

(1870-1949)

Amerykanin włoskiego pochodzenia, twórca Bank of America – jednej z największych instytucji finansowych świata

Jako 7-latek widział, jak zamordowano jego ojca, jako 12-latek wymykał się nocami z domu na nabrzeża San Francisco, by pracować przy rozładunku towarów, a jako 14-latek porzucił szkołę, by pomagać w firmie ojczyma. W wieku 30 lat, dzięki swojej ciężkiej pracy, mógł przejść na emeryturę, lecz właśnie wtedy rozpoczął pracę nad dziełem swojego życia! Założył pierwszy w historii bank służący niezamożnym mieszkańcom San Francisco. Pomagał im, gdy odbudowywali swoje domy po trzęsieniu ziemi w 1906 roku. Ratował kraj w czasach Wielkiego Kryzysu. Aby służyć ludziom, bo tak pojmował pracę bankiera, negował tradycyjne podejście do finansów i łamał zasady, jakie wyznawali ówcześni bankierzy. Giannini nigdy nie myślał o sobie, o swojej wygodzie czy majątku. Nie wypłacał sobie premii i nie przyznawał podwyżek! „Nigdy nie pracowałem z myślą o sobie. Takie podejście pozwoliło mi osiągnąć sukces" – mówił.

Amadeo Peter Giannini urodził się w rodzinie włoskich emigrantów w 1870 roku w San Jose w Kalifornii. Jego ojciec Luigi przyjechał w 1849 roku do USA w poszukiwaniu pracy. Zatrudnił się w jednej z kalifornijskich kopalni złota, a następnie kupił czterdziestohektarowe gospodarstwo i zajął produkcją rolną. Warzywa i owoce sprzedawał okolicznym sklepom. Niestety, gdy Amadeo miał 7 lat, wydarzyła się tragedia. Podczas rozliczeń finansowych z jednym z kontrahentów doszło do kłótni i ojciec Gianniniego został zastrzelony! W momencie tragedii Amadeo miał młodszego brata, a jego mama

Virginia była w ciąży z trzecim dzieckiem. Kobieta ponownie wyszła za mąż. Jej wybrankiem był Lorenzo Scatena, właściciel lokalnej firmy handlowej. Młody Giannini pomagał swojemu ojczymowi w jej prowadzeniu. Wiedząc, że lepiej radzi sobie w biznesie niż w nauce, Amadeo w wieku 14 lat porzucił szkołę. Po kilku latach wspólnej pracy firma się rozwinęła. Giannini pośredniczył na dużą skalę w kontaktach między farmerami a właścicielami sklepów. To właśnie wtedy nabył umiejętność rozpoznawania ludzkich intencji. Pracował bowiem z różnymi osobami. Część z nich była uczciwa. Część, niestety, próbowała się wzbogacić jego kosztem. Amadeo uczył się, komu można wierzyć, a komu nie. Był znakomitym psychologiem samoukiem. Znajomość psychiki ludzkiej przydała mu się w późniejszym okresie życia i… zapewniła mu miejsce w historii!

Jako 22-latek Giannini poślubił Clorindę Cuneo, córkę potężnego handlarza nieruchomościami z North Beach. Firma handlowa, którą prowadził, zapewniała mu dostatnie funkcjonowanie do końca życia, jednak postanowił… oddać ją swoim pracownikom w formie udziałów. Jego samego pochłonęła bez reszty praca w sektorze finansowym, a konkretnie na stanowisku dyrektora w firmie pożyczkowej Columbus Saving and Loans, w której udziały miał jego teść. Być może nam, współczesnym ludziom wyda się to dziwne, ale jeszcze nieco ponad 100 lat temu, na przełomie XIX i XX wieku banki zajmowały się wyłącznie obsługą bogaczy oraz dużych przedsiębiorstw. Zwykli ludzie mogli pożyczać pieniądze tylko u lichwiarzy, na wysoki procent, a swoje ciężko zarobione pieniądze trzymali w skarpetach i pod materacami. Giannini, widząc tę nierówność, zdecydował się na obsługę finansową biednych ludzi. Dlatego mówi się o nim jako o „bankierze zwykłych ludzi" albo o „bankierze Ameryki". W 1904 roku Amadeo otworzył pierwszy bank dla emigrantów: Bank of Italy. Depozyty złożone pierwszego dnia wyniosły 8700 dolarów. Po roku działalności osiągnęły już kwotę 700 000 dolarów, co w przeliczeniu na dzisiejszą wartość pieniądza daje nam około 13,5 miliona dolarów! W latach 20. ubiegłego stulecia Bank of Italy stał się trzecią co do wielkości instytucją finansową w USA. Rozwinął sieć oddziałów, obsługując głównie emigrantów: Włochów, Portugalczyków, Rosjan, Greków, Meksykanów, Jugosłowian.

Po trzęsieniu ziemi w San Francisco w 1906 roku Giannini był jedynym bankierem, który na gruzach i zgliszczach miasta otworzył bank! Bank to za duże słowo. Za cały bank służyła długa deska położona na kilku beczkach. Przy desce stali, z jednej strony pracownicy banku i oczywiście sam Amadeo, a po drugiej stronie w kolejce mieszkańcy, którzy potrzebowali pieniędzy na odbudowę swoich domów. Niestety, ludzie Ci nie mieli żadnego zabezpieczenia na pożyczki, które chcieli brać... Po trzęsieniu ziemi zostali z niczym. I tu ujawnił się charakter Amadeo. Postanowił, że gwarancją spłaty zaciągniętej u niego pożyczki będzie... spojrzenie w oczy i uścisk dłoni! „Rozdawał" pieniądze na podstawie swojego odczucia co do danej osoby! Jeśli ktoś po krótkiej rozmowie wydawał mu się uczciwy, Amadeo przekazywał mu pieniądze. Jak się okazało, znał się świetnie na ludziach, bo wszystkie zaciągnięte w ten sposób pożyczki zostały spłacone! Po trzęsieniu ziemi brakowało również wszelkich materiałów do odbudowy miasta. Amadeo chodził na nabrzeże i płacił kapitanom parowców, które przypływały do San Francisco, za dostarczanie potrzebnych materiałów do miasta. Musiał zaufać tym ludziom i wierzyć, że go nie oszukają. Rzadko się zawodził.

Przez kolejnych kilkanaście lat Giannini kontynuował rozbudowę swojego bankowego imperium. W całej Kalifornii otwierał kolejne oddziały Bank of Italy. Kupował także mniejsze, lokalne banki. W roku 1916 posiadał ponad 500 placówek bankowych udzielających pożyczek oraz przechowywujących depozyty „zwykłych ludzi". Ludzie z niższych klas społecznych traktowali Bank of Italy jako swój bank. W 1928 roku Giannini skupił wszystkie swoje banki w holdingu Transamerica Co. Dwa lata później utworzył Bank of America, który szybko stał się pierwszym bankiem Ameryki. Pod rządami Gianniniego jako prezesa bank nie tylko przetrwał Wielki Kryzys, ale także pomagał w tym trudnym okresie całej Kalifornii. Później współfinansował tamtejsze przedsięwzięcia przemysłowe i rolne oraz przemysł filmowy. Amadeo szefował mu do 1945 roku, kiedy przeszedł na emeryturę.

Amadeo Peter Giannini zmarł w 1949 roku w wieku 79 lat. Nie zostawił dużego, osobistego majątku, bo „zaledwie" pół miliona dolarów w posiadanych nieruchomościach. Mógł być miliarderem. Był jednak skromnym człowiekiem z wyboru. Czuł, że ogromny majątek oddali go od zwykłych ludzi, którym chciał służyć. Przez całe lata pracował praktycznie bez żadnego wynagrodzenia. Gdy w jednym roku otrzymał 1,5 mln dolarów jako premię, szybko podarował te pieniądze Uniwersytetowi w Kalifornii. Giannini był wizjonerem, który chciał pomagać ludziom w realizacji ich marzeń niezależnie od ich pochodzenia i statusu. Ufał im i okazywał to na każdym kroku. „Bądź gotowy pomagać ludziom, kiedy tego najbardziej potrzebują" – mawiał Bankier Ameryki. Historia jego życia mogłaby być jedną z historii o amerykańskim marzeniu. Jednak w naszych czasach – czasach zapaści gospodarczych, bankructw wielkich firm, a nawet całych krajów, czasach narracji o bezosobowych trendach gospodarczych, z którymi nikt nie może walczyć – historia życia Amadea Petera Gianniniego nigdy nie była bardziej aktualna. Przypomina nam ona, że jeden człowiek może robić znaczną różnicę.

KALENDARIUM:

6 maja 1870 – narodziny Gianniniego w San Jose w Kalifornii

1877 – śmierć ojca Amadea

1884 – Giannini porzuca szkołę, aby na pełen etat prowadzić firmę handlową ojczyma

1892 – ślub się z Clorindą Cuneo, córką magnata nieruchomości z North Beach

1904 – otwarcie Bank of Italy, pierwszego banku dla niższych i średnich klas społecznych Kalifornii

1906 – pomoc finansowa dla mieszkańców zniszczonego trzęsieniem ziemi San Francisco i udział w odbudowie miasta

1916 – Bank of Italy posiada ponad pół tysiąca placówek w Kalifornii i jest jedną z największych instytucji finansowych w USA

1928 – założenie holdingu Transamerica Co. skupiającego wszystkie banki Gianniniego

1930 – utworzenie Bank of America, największego banku w Stanach Zjednoczonych

1945 – odejście na emeryturę

3 czerwca 1949 – śmierć Bankiera Ameryki w San Mateo, Kalifornia

CIEKAWOSTKI:

- Amadeo Peter Giannini jako jedyny bankier zdecydował się wyłożyć pieniądze na pierwszy, pełnometrażowy film animowany. W tej sprawie przyszedł do niego... Walt Disney, któremu wsparcia po kolei odmawiały inne banki. Dzięki zaangażowaniu finansowemu

Gianniniego powstał film *Królewna Śnieżka i siedmiu Krasnoludków*, a następnie pierwszy, tematyczny park rozrywki Disneya dedykowany temu właśnie filmowi. Disney nie miał zabezpieczenia finansowego na te przedsięwzięcia, a mimo to Giannini wyłożył na nie 1,7 miliona dolarów!

- Na początku XX wieku banki pracowały tylko do godziny 15.00. Bank of Italy założony przez Gianniniego otwarty był do 20.00 albo do 21.00, żeby pracujący do późna mieszkańcy San Francisco mogli załatwić po pracy swoje sprawy.
- W Bank Of America został stworzony wydział kredytowania produkcji filmowych. W ten sposób pieniądze Gianniniego pozwoliły wyprodukować filmy Charliego Chaplina, Douglasa Fairbenksa, a później takie tytuły jak: *West Side Story*, *Lawrence z Arabii* i *Przeminęło z wiatrem*. Bank Of America uczestniczył też finansowo w budowie mostu Golden Gate, symbolu San Francisco.

- Pewnego razu Giannini jechał do jednego z rolników, aby udzielić mu kredytu. Wiedział, że tego samego dnia wybiera się do tego rolnika przedstawiciel innego banku. Wiedział też, że konkurent nie zaproponuje rolnikowi tak dobrych warunków jak on. Postanowił go wyprzedzić. Miał tylko jedna możliwość dotarcia przed nim a mianowicie… przez staw! W tej sytuacji zatrzymał konia przy brzegu, zrzucił z siebie rzeczy i popłynął wpław, wyprzedzając w ten sposób drugiego bankiera. Przemoczony i zmęczony zapukał do drzwi domostwa. Rolnik zaciągnął korzystny kredyt u Gianniniego!

CYTATY:

„Nigdy nie pracowałem z myślą o sobie. Takie podejście pozwoliło mi wiele osiągnąć".

„To nie człowiek rządzi pieniędzmi, lecz pieniądze rządzą człowiekiem".

„Najlepszym momentem, aby pójść do przodu w biznesie, jest czas, kiedy inni nie robią zbyt wiele".

„Bądź gotowy pomagać ludziom, kiedy tego najbardziej potrzebują".

„Ten, kto nie pracuje, niczego nie osiągnie".

„Nie musisz zawsze trafiać w dziesiątkę. Na tarczy są także inne kręgi, które przynoszą punkty".

„Bankier powinien być służącym ludzi, służącym społeczności".

„Praca wyłącznie dla pieniędzy nie przynosi satysfakcji. Satysfakcję daje proces tworzenia".

„Nadmiar pieniędzy psuje ludzi – tak było i tak będzie".

„Obowiązkiem każdego mężczyzny jest zapewnienie jak najlepszych warunków życia swoim dzieciom. Zostawienie im milionów może być jednak niebezpieczne".

ŹRÓDŁA I INSPIRACJE:

Julian Dana, *A.P. Giannini, giant in the West*, Prentice-Hall, 1947.

Matthew Josephson, *The money lords, the great finance capitalists, 1925-1950*, Weybright and Talley, 1972.

Felice A. Bonadio, *A.P. Giannini, Banker of America*, University of California Press, 1994.

Harold Evans, *They Made America*, Back Bay Pubs/PBS, 2004.

Dana Haight Cattani, *A. P. Giannini: The Man with the Midas Touch*, AuthorHouse, 2009.

❋

Andrew Carnegie

(1835-1919)

Amerykanin szkockiego pochodzenia, przedsiębiorca, przemysłowiec i filantrop

Gdy wyobrażamy sobie amerykańskiego przemysłowca epoki wiktoriańskiej, przed oczami staje nam elegancki dżentelmen w meloniku i surducie. Myślimy o postaciach z „amerykańskiego snu", o karierach „od pucybuta do milionera" oraz o wielkich fortunach i możliwościach, jakie przyniósł ze sobą wiek pary i stali. Wszystko to uosabia postać Andrew Carnegiego – chłopaka z biednej rodziny imigrantów, który bez formalnego wykształcenia i majątku rodzinnego stał się jednym z najpotężniejszych magnatów przemysłowych w historii Ameryki.

Andrew Carnegie urodził się w miasteczku Dunfermline na wschodnim wybrzeżu Szkocji. Bardzo lubił się uczyć i choć edukacja szkolna polegała głównie na uczeniu się na pamięć, nawet tę prostą umiejętność potrafił doskonale wykorzystywać. Nie zdążył ukończyć szkoły podstawowej, gdy na Wyspach Brytyjskich nastał kryzys. Największe żniwo zebrał w Irlandii, gdzie głód i emigracja wypędziły z ojczyzny co czwartego obywatela. W Szkocji mieszkańcy górskich terenów stanęli przed widmem bezrobocia; większość z nich przeniosła się na niziny lub wyemigrowała w poszukiwaniu pracy. „Zacząłem rozumieć, czym jest bieda" – pisał o tym czasie Andrew w swojej autobiografii. Jego rodzina była zmuszona sprzedać warsztat i wraz z setkami Szkotów i Irlandczyków wsiąść na statek w poszukiwaniu lepszego życia w Ameryce.

Andrew znalazł nowy dom w Pittsburghu w Pensylwanii. Jego ojciec pracował ponad swoje siły w lokalnej fabryce tkanin, a matka po zakończeniu swojej całodziennej pracy co noc prała i prasowała jego ubrania. Andrew wierzył, że jeśli opanuje zasady, jakimi kieruje się ten świat, zostanie wielkim biznesmenem i będzie mógł zapewnić swoim rodzicom godny byt. Miał trzynaście lat i szybko uczył się zasad panujących w Ameryce. Gdy dostał się na rozmowę o pracę na stanowisku dostarczyciela wiadomości telegraficznych, wiedział, że nie może wypuścić takiej szansy z ręki; zaczął pracę jeszcze tego samego dnia.

Był młodszy i fizycznie słabszy od swoich kolegów. Wiedział jednak, że może ich prześcignąć nie za pomocą siły, ale tego, w czym był dobry – miał przecież doskonałą pamięć. Szybko nauczył się adresów wszystkich firm, do których dostarczał telegramy. Dzięki temu mógł przygotować doskonały plan dostarczania telegramów i nigdy nie musiał przemierzać tej samej ulicy dwa razy. Niedługo potem pamiętał nawet twarze adresatów telegramów i dostarczał im wiadomości, zanim jeszcze dotarli do biura. Andrew przekonał się, że ta odrobina wysiłku pozwoliła mu zaoszczędzić cenny czas, a efekty budziły podziw wśród klientów.

Andrew czuł, że sam jest odpowiedzialny za swoją edukację i karierę. Nawet jeśli kończył pracę późną nocą, zjawiał się w biurze wcześnie rano, zanim przyszli telegrafiści. Wykorzystywał te wygospodarowane minuty, by nauczyć się obsługi telegrafu. Zaskoczyło go, jak szybko udało mu się zapamiętać alfabet Morse'a, a gdy zauważył, że jeden z telegrafistów potrafi odszyfrowywać kod ze słuchu bez użycia wydruku, też zapragnął posiąść taką umiejętność. I dopiął swego. Niedługo sam został operatorem telegrafu, najszybszego w owym czasie narzędzia komunikacji, z którego korzystali wszyscy ważni ludzie w okolicy. Wszystko, co się działo, Andrew przyjmował z optymizmem – jak wielką szansę, którą trzeba wykorzystać. Wywalczył dla siebie i kolegów dostęp do lokalnej biblioteki, ćwiczył słownictwo i akcent i uważnie przysłuchiwał się wieściom z kraju i zagranicy, które na co dzień przepływały przez jego biuro. Wiedział, że jego przyszłość zależy od wiedzy, jaką zdobędzie.

Tymczasem krajobraz Ameryki zmieniał się nie do poznania. Odległości, które wcześniej trzeba było przemierzać parę dni – wozem lub drogą wodną – teraz dzięki kolei można było pokonać w kilka godzin. Przewóz drewna i stali stał się o wiele tańszy i szybszy, a to napędzało gospodarkę. Każdy ze stanów Ameryki spieszył się, by nadążyć z budową sprawnej sieci kolejowej. Zbliżała się wojna secesyjna, w której o zwycięstwie miał zadecydować szybki transport wojska i jego zaopatrzenia. Kolejnictwo stało się więc najważniejszą gałęzią przemysłu, a Thomas Scott, właśnie mianowany na komisarza zachodniej sieci kolejowej Pensylwanii, był najciekawszym pracodawcą, jakiego można było znaleźć w całym Pittsburghu.

Andrew wiedział, że komisarz Scott potrzebuje najlepszego telegrafisty w mieście – przedstawił się więc jako idealny kandydat na to stanowisko. Pracował u Scotta przez kolejne siedem lat. Zyskał jednak o wiele więcej niż tylko podwyżkę pensji. Dzięki temu, że umiał obsługiwać telegraf ze słuchu, okazał się wybitnie szybki i skuteczny.

Cały czas się uczył, chłonąc wiedzę ze wszelkich możliwych źródeł. Dawał swojemu przełożonemu przewagę nad innymi komisarzami, a ten darzył go coraz większym zaufaniem i z czasem stał się jego nauczycielem i mentorem.

Przez kolejne lata Mr. Scott's Andy (bo tak go wszyscy nazywali) stał się rozpoznawany w całej branży kolejniczej; szanował go nawet John Edgar Thomson, dyrektor Pennsylvania Railroad Company. Ten szacunek procentował – Thomson miał się niebawem stać bliskim partnerem biznesowym Andrew. Dzięki wsparciu swojego przełożonego Carnegie jeszcze jako asystent miał możliwość dokonania pierwszej w życiu inwestycji: zainwestował 500 dolarów w Adams Express, firmę świadczącą usługi pocztowe. Pierwsze próby były ryzykowne i wymagały zaciągnięcia pożyczki, ale okazało się, że Andrew miał talent do umiejętnego inwestowania pieniędzy. To właśnie trafione i odważne inwestycje miały niebawem stać się jednym z filarów jego fortuny.

Gdy Scott awansował, stanowisko komisarza kolei przejął po nim właśnie Andrew. Dla 24-latka było to wielkie wyróżnienie i szansa. Rzucił się w wir pracy. Trzymał telegraf u siebie w domu, by móc osobiście, dzień i noc, czuwać nad postępem prac budowy torów i mostów. Wprowadzał innowacje usprawniające ruch, nawet jeśli były tak kontrowersyjne, jak palenie pociągów, które utknęły na torach. Czynił kolejne, coraz odważniejsze inwestycje, korzystając z wiedzy, którą nabył podczas pracy. Kapitał ulokowany w budowę wagonów sypialnych czy wagonów pierwszej klasy szybko procentował. W wieku 30 lat Andrew był już milionerem. Pracował jednak dalej. Tym razem zwrócił się w stronę przemysłu stalowego i znowu zdobywał kolejne doświadczenia, a na ich bazie unowocześniał produkcję stali. Konsekwentnie i odważnie rozwijał branżę, czym przyczynił się w znacznym stopniu do rozkwitu Stanów Zjednoczonych.

Carnegie wierzył, że działalność biznesowa jest tylko narzędziem, a człowiek, który zdobył bogactwo, powinien wykorzystywać posiadane pieniądze dla dobra innych. Marzył, by w wieku 35 lat przejść na emeryturę i zająć się wyłącznie działalnością charytatywną. Najbardziej pragnął budować biblioteki publiczne, bo właśnie dostęp do książek, który wywalczył sobie, pracując jako dostawca telegramów, był dla niego kluczem do rozwoju. Chciał zaoferować tę możliwość kolejnym pokoleniom.

Swoje marzenie w pełni zrealizował dopiero, gdy skończył 65 lat. Odtąd cały swój czas mógł poświęcić innym. Głównym jego celem stało się upowszechnianie nauki i dalszy rozwój bibliotek dostępnych dla każdego bez względu na status materialny. To w dużej części dzięki jego darowiźnie nowojorska biblioteka publiczna (New York Public) jest dziś jedną z największych bibliotek na świecie. On też utworzył Instytut Technologiczny w Pittsburghu, czym także oddał hołd nauce, której zawdzięczał swoje dokonania.

KALENDARIUM:

1835 – narodziny Andrew Carnegie

1845 – rozpoczyna się wielki kryzys żywnościowy na

Wyspach Brytyjskich, 1/3 mieszkańców Szkocji jest zmuszona do emigracji

1848 – Andrew wraz z rodziną emigruje do Ameryki

1850 – rozpoczyna pracę jako kurier wiadomości telegraficznych, zaczyna się uczyć pracy z telegrafem

1852 – rozpoczyna pracę jako asystent i telegrafista Thomasa Scotta, komisarza Zachodniego Oddziału Pennsylvania Railroad Company

1855 – przy wsparciu Scotta i rodziny Andrew inwestuje pierwsze pieniądze w Adams Express

1859 – awans na komisarza Zachodniego Oddziału Pennsylvania Railroad Company

1861 – rozpoczyna się wojna secesyjna; usprawnianie transportu i komunikacji nadzorowane przez Carnegiego bardzo przyczynia się do zwycięstwa Północy

1864 – pierwsza inwestycja w przemysł naftowy (40 000 dolarów w Story Farm w Pensylwanii); inwestycja zaczyna przynosić 1 000 000 dolarów zysku rocznie

1864 – w Pittsburghu powstaje pierwsza huta, region staje się kluczowy dla przemysłu zbrojeniowego

1865 – Andrew porzuca Pennsylvania Railroad Company i zakłada Keystone Bridge Works oraz Union Ironworks

1881 – Andrew funduje pierwszą bibliotekę w swoim rodzinnym mieście – Dunfermline w Szkocji; to początek jego działalności charytatywnej

1889 – Andrew Carnegie pisze *Gospel of Wealth* – książkę, w której wykazuje, że powinnością bogatego człowieka jest pomoc społeczeństwu, i namawia innych milionerów, by zajęli się działalnością charytatywną

1892 – powstaje Carnegie Steel Company

1901 – sprzedaż Carnegie Steel Company za 480 milionów dolarów

1901-1919 – Andrew Carnegie przeznacza 90% swojego majątku na cele społeczne, buduje biblioteki, teatry, uniwersytety, działa aktywnie na rzecz pokoju na świecie

1919 – Carnegie umiera, pozostałe 10% jego majątku zostaje przekazane na cele charytatywne

CIEKAWOSTKI:

- Adrew Carnegie był założycielem najsłynniejszej sali koncertowej na świecie: nowojorskiej Carnegie Hall.
- Carnegie na rzecz nowojorskiej biblioteki publicznej przekazał w 1901 roku 5,2 miliona dolarów (równowartość dzisiejszych 147 milionów dolarów).
- Zwieńczeniem kariery Andrew Carnegiego była sprzedaż budowanego przez 20 lat imperium produkcji stali za sumę 480 milionów dolarów (równowartość około 13,5 miliarda dolarów w 2013 roku). Była to największa osobista transakcja w historii Ameryki i uczyniła Carnegiego najbogatszym obywatelem USA.

MYŚLI NA PODSTAWIE ŻYCIORYSU CARNEGIEGO:

- Nie przejmuj się tym, czego ci brakuje – wykorzystaj jak najlepiej to, co masz.

- Każde spotkanie jest okazją do nauki, każde dobre wrażenie może zaprocentować w przyszłości.
- Jesteś sam odpowiedzialny za swoją edukację, a cały świat jest twoim uniwersytetem.
- Pieniądze nie są celem samym w sobie, są środkiem do osiągania wyższych celów.

CYTATY:

„Spędź pierwszą część życia, ucząc się, ile tylko możesz. Spędź kolejną część życia, zdobywając tak dużo pieniędzy, jak tylko możesz.

Spędź trzecią część życia, oddając wszystko, co masz, na wartościowe cele".

„Pogodne usposobienie jest warte więcej niż fortuna".

„Człowiek, który umiera bogaty, umiera w niesławie".

„Pilnuj kosztów, zyski zatroszczą się same o siebie".

ŹRÓDŁA I INSPIRACJE:

Dana Meachen Rau, *Andrew Carnegie: Captain of Industry*, Capstone, 2005.

Andrew Carnegie, *Autobiography of Andrew Carnegie*, red. John Charles Van Dyke, 2011.

David Nasaw, *Andrew Carnegie*, 2007.

Charles R. Morris, *The Tycoons: How Andrew Carnegie, John D. Rockefeller, Jay Gould and J.P. Morgan Invented the American Supereconomy*, Henry Holt and Company, 2005.

Laura Bufano Edge, *Andrew Carnegie: Industrial Philanthropist*, Twenty-First Century Books, 2004.

Anna Wintour

(ur. 1949)

brytyjska dyrektor artystyczna wydawnictwa Conde Nast, redaktor naczelna amerykańskiej edycji czasopisma „Vogue"

Mówi się o niej, że ona nie tworzy mody, ale „jest modą". Anna Wintour jest uważana za najbardziej wpływową osobę świata mody, dzięki której rozkwitają lub upadają kariery ludzi, marki i całe gałęzie przemysłu. Żartobliwie mówi o sobie, że być może osiągnęła to wszystko, by zrekompensować braki w formalnym wykształceniu.

Anna Wintour urodziła się w akademickiej rodzinie – jej dziadek wykładał prawo na Harvardzie, a rodzice ukończyli studia na prestiżowym uniwersytecie w Cambridge. Jej ojciec Charles Wintour był redaktorem naczelnym gazety „London's Evening Standard". Cieszył się wielkim szacunkiem i posiadał kontakty wśród elit całego Londynu. W domu Wintourów bywali ważni ludzie ze świata mediów, więc Anna od dziecka mogła przysłuchiwać się ich dyskusjom i uczyć się, jak działa ten biznes. Jej matka Eleanor Wintour pochodziła z bogatej amerykańskiej rodziny i zajmowała się głównie pracą charytatywną. Anna chodziła do prestiżowej szkoły i dostawała pieniądze na wszystko, czego sobie zażyczyła. Miała własnego konia, a od 15 roku życia wydzielony fragment domu z osobnym wejściem. Jednak w jej życiu panował chłód. Jej brat Gerald zginął w wypadku, gdy Anna miała 2 lata. Rodzice nigdy nie pogodzili się z tą stratą, oboje uciekli w pracę i stopniowo oddalali się od siebie. Rozwiedli się, zanim Anna skończyła 30 lat.

W wieku około 12 lat Anna musiała wypełnić formularz szkolny i określić, co chce robić w życiu. Gdy nie umiała tego zrobić, jej ojciec w rubryce „kariera" wpisał: „redaktor naczelna Vogue". Annie bardzo spodobał się ten plan i postanowiła przy nim pozostać. Zaczęła interesować się modą, śledzić brytyjskie i amerykańskie czasopisma modowe, żeby wypracować własny styl i wyrobić sobie własną wrażliwość estetyczną.

W roku, w którym urodziła się Anna, w Anglii zniesiono odzież na kartki. Brytyjczycy zachłysnęli się możliwościami, jakie dawała moda. W latach 60. na ulicach panowały mini spódniczki i fryzury typu bob - podobne do tych, które nosili członkowie zespołu The Beatles. Anna chciała w tym wszystkim uczestniczyć - stanowczo odmawiała noszenia brązowego beretu jako elementu mundurka, nosiła najkrótszą minispódniczkę w szkole i jako pierwsza pobiegła do najdroższego fryzjera w mieście, żeby zrobić sobie modną fryzurę.

Ojciec nieraz potrzebował jej rady, gdy jego gazeta mierzyła się z tematem ówczesnej młodzieży. Pytał Annę między innymi o to, czy The Beatles są znani i czy warto z nimi przeprowadzić wywiad. Dostrzegał w swojej córce nadzieję na kontynuację rodzinnej tradycji dziennikarskiej, ale miał nadzieję, że jej zainteresowanie modą to tylko młodzieńcza fascynacja. Widząc jednak upór Anny, zatelefonował w kilka miejsc, by pomóc jej zdobyć pracę w modnym butiku Biba. Każdy chciał tam pracować, bo bywały w nim wszystkie znane postacie ówczesnych elit, aktorki i piosenkarki, więc szansa na karierę w branży modowej była większa niż gdzie indziej. Szesnastoletnia wówczas Anna zrobiła w Bibie bardzo dobre wrażenie – była wyjątkowo dojrzała jak na swój wiek, bardzo spokojna i skupiona na pracy.

Już wtedy, w swojej pierwszej pracy, miała jeden konkretny cel: zostać redaktor naczelną amerykańskiego „Vogue", i temu podporządkowała całe swoje życie. Obsesyjnie dbała o swój wygląd, każdą wolną chwilę spędzała na zakupach, ściśle przestrzegała diety i unikała słońca, żeby nie zniszczyć swojej porcelanowej cery. Choć jej życie towarzyskie toczyło się w klubach nocnych, unikała wszelkich używek. Nawet gdy zamawiała kawę z pianką, wyjadała łyżeczką piankę, ale zostawiała kawę. Przede wszystkim jednak bardzo pilnowała tego, z kim się przyjaźni. Była bardzo oschła i niemiła dla większości ludzi, za to oczarowywała i uwodziła tych, którzy byli znani, wpływowi lub związani ze światem mody. Zawsze wyglądała zjawiskowo, a przy tym była córką bardzo wpływowego redaktora, więc wielu mężczyzn zabiegało o jej względy. Rodzice nie pochwalali tego, że dawali Annie dużo swobody i nie próbowali kontrolować jej życia, mimo że o tym, co się w nim dzieje, nieraz dowiadywali się z prasy plotkarskiej.

Wreszcie władze szkoły postanowiły skreślić ją z listy uczniów za noszenie wyzywających strojów. Anna w wieku 16 lat zrezygnowała z nauki i zaangażowała się w pracę. Rodzice mieli nadzieję, że jej fascynacja modą minie, a Anna wróci do nauki i pójdzie na studia. Znaleźli dla niej nawet szkołę o profilu modowym, jednak Anna szybko z niej zrezygnowała, bo wolała zajmować się modą w praktyce.

Wysiłek, który włożyła w budowanie kontaktów w świecie mody, zaczął owocować już w jej pierwszej pracy związanej z dziennikarstwem. Mając 21 lat, bez pomocy ojca zdobyła stanowisko asystentki redakcji w „Harper's & Queen" (późniejszym „Harper's Bazaar"). W odróżnieniu od innych osób na tym stanowisku od początku orientowała się w pracy fotografów i modelek, wiedziała, z kim się skontaktować, by zorganizować ciekawe lokalizacje na sesje zdjęciowe, umiała sama znaleźć nowe modelki. Miała też świetne pomysły na sesje modowe. Już wtedy manifestowała swój własny gust, co bywało kłopotliwe. Zdarzało jej się wejść do domu mody współpracującego z magazynem i głośno powiedzieć: „nie ma tu nic ciekawego" – takie słowa z ust początkującej asystentki były bardzo źle widziane. W „Harper's & Queen" Anna musiała zajmować się wszystkim, od rozmów z reklamodawcami, poprzez organizowanie sesji zdjęciowych, po pisanie i redagowanie tekstów. Niska pensja nie była dla niej problemem, bo cały czas korzystała ze wsparcia rodziców. Gdy jej zespół jeździł na pokazy mody do Mediolanu, ona jako jedyna kupowała kreacje bezpośrednio od projektantów. Wkładała w tę pracę całe swoje serce i była bardzo zawiedziona, że przez kilka lat nie dostała awansu.

Zniechęcona przeniosła się do Nowego Jorku. Jej pierwsza praca w amerykańskim „Harper's Bazaar" była dla niej wielkim wyzwaniem – jej silna osobowość i ambitne pomysły powodowały ciągłe konflikty z przełożonymi. Anna chciała wyznaczać trendy. Na przykład w odpowiedzi na popularność Boba Marleya, którego miała okazję poznać osobiście, przygotowała kolekcję mody, w której modelki miały włosy zaplecione w dredy, gdy tymczasem „Harper's Bazaar" miał lansować klasyczne kobiece loki. Pomysły Anny, choć innowacyjne i doskonale zrealizowane, nie spotykały się ze zrozumieniem, więc musiała pożegnać się z redakcją.

Jej kolejna praca była związana z nowo powstałym magazynem „Viva". Pod wieloma względami był to dla niej krok do przodu, bo redagowała dział mody, odpowiadając bezpośrednio przed wydawcą. Jednak był to wydawca kojarzony przede wszystkim z czasopismem erotycznym

„Penthouse". To powiązanie stanowiło doskonałą pożywkę dla prasy brukowej. Choć Anna prowadziła dobrej jakości dział modowy w czasopiśmie dla kobiet, do Anglii docierały plotki, że pracuje w piśmie pornograficznym. Jej silna osobowość jak zawsze powodowała zgrzyty i konflikty w redakcji. Do tego rozpadł się jej wieloletni związek i musiała na krótko zamieszkać w lokalu w Chinatown o bardzo niskim standardzie, pełnym karaluchów. Dla damy ubierającej się u najlepszych projektantów i jedzącej w najdroższych restauracjach to było zbyt wiele. Rzuciła wszystko i znikła z Nowego Jorku i z życia publicznego na ponad dwa lata. Widywano ją w tym czasie w Paryżu, Londynie i na Jamajce.

Wróciła z nowymi siłami do Ameryki, gdy dostała propozycję pracy w nowo powstałym magazynie „Savvy". Był to nowy magazyn, który jeszcze nie wyrobił sobie marki, więc Anna otrzymywała w nim wyjątkowo niską pensję, ale i tak była gotowa włożyć w tę pracę całe serce, a nawet dopłacać do strojów i organizacji sesji zdjęciowych. Jej praca zaczęła wreszcie cieszyć się uznaniem i przyciągać uwagę wpływowych wydawców. Niedługo po przygodzie z „Savvy" Anna dostała propozycję redagowania działu mody w znanym magazynie „New York".

Sprawiała na ludziach wielkie wrażenie i zawsze wyglądała perfekcyjnie. Przy organizacji sesji zdjęciowych zatrudniała najlepszych fotografów i znajdowała niezwykłe lokalizacje. Zaobserwowała, że prasa modowa miała wówczas zupełnie inną grupę docelową niż wcześniej – nie kobiety z bogatych domów spędzające całe dnie na zakupach, ale kobiety robiące karierę, które mają mało czasu i potrzebują szybkiej i konkretnej informacji. W Ameryce też stało się dla niej jasne, że to udział celebrytów najlepiej podnosi sprzedaż czasopism. Jednocześnie prasa plotkarska śledziła jej każdy krok, donosząc o kolejnych romansach, zaś w świecie mody rosło przekonanie, że Anna Wintour to zimna i agresywna szefowa.

Tymczasem Anna tworzyła sesje modowe, które wychodziły poza konwencje, znajdowała ludzi z wyjątkowymi talentami i zmuszała ich, by dawali z siebie wszystko. Była szalenie wymagająca wobec innych, ale przede wszystkim wobec siebie. Wreszcie do grona ludzi podziwiających jej pracę dołączył Alex Liberman z Conde Nast – wydawcy „Vogue". Dzięki niemu w 1983 roku Anna trafiła po raz pierwszy do swojej wymarzonej redakcji amerykańskiego „Vogue".

Na rozmowie kwalifikacyjnej ówczesna redaktor naczelna Grace Mirabella zapytała ją, na jakim stanowisku chciałaby pracować. Anna odparła: „na pani". Rozmowa skończyła się po 10 minutach, a Mirabella nie chciała słyszeć o zatrudnianiu kogoś takiego.

Po długich negocjacjach w wydawnictwie – bez konsultacji z Mirabellą – stworzono dla Anny zupełnie nowe stanowisko dyrektora kreatywnego „Vogue". Życie osobiste Anny wreszcie zaczęło się układać, gdyż zaręczyła się z lekarzem Davidem Shafferem – najspokojniejszym człowiekiem, jakiego widywano w jej otoczeniu.

Od początku napięte relacje między nią a Grace Mirabellą z czasem stawały się coraz gorsze.

Anna pracowała tak, jakby nie miała przełożonej. Samodzielnie podejmowała decyzje, ignorując albo wręcz działając wbrew poleceniom Grace. Było jasne, że redakcja nie funkcjonuje dobrze, gdy ścierają się w niej dwie tak silne i odmienne osobowości. By uspokoić sytuację, wydawcy Conde Nast postanowili przenieść Annę do Londynu do czasu, aż Mirabella przejdzie na emeryturę.

Przeprowadzając się do Wielkiej Brytanii, Anna była w zaawansowanej ciąży, jednak ani na moment nie przestała angażować się w pracę. Aż do porodu nosiła bardzo wysokie szpilki, krótkie spódniczki i modne płaszcze. Zamiast spędzać czas, kupując wózki i łóżeczka dla dziecka, zaprowadzała nowe porządki w brytyjskiej redakcji „Vogue". Kazała zespołowi pojawiać się w pracy dwie godziny wcześniej niż dotąd, zwolniła część ludzi, zmieniła grupę docelową czasopisma i cały jego styl. Wymieniła nawet meble w redakcji – po raz pierwszy w jej gabinecie pojawiło się ogromne, onieśmielające innych białe biurko, które później stało się swoistym symbolem w popkulturze.

Wydawcy byli zachwyceni zmianami, a wzrost sprzedaży magazynu nabrał tempa. Pracownicy byli jednak przerażeni. Zaczęli o niej mówić Nuclear Wintour (Nuklearna Wintour). Gdy 2 lata później do Londynu dotarła wieść, że Conde Nast ma zamiar przenieść Annę z powrotem do USA, w brytyjskiej redakcji „Vogue" dosłownie otworzono szampana.

Ku zaskoczeniu wszystkich w Ameryce nie czekała na nią posada redaktor naczelnej „Vogue", lecz magazynu o architekturze wnętrz „Home & Garden". Anna zaczęła zmieniać czasopismo zgodnie ze swoją intuicją – odrzuciła materiały do druku warte miliony dolarów, wymieniła część załogi, zmieniła nazwę czasopisma na „HG" i zaangażowała do udziału w sesjach zdjęciowych wielu celebrytów. „Home & Garden" zmienił się nie do poznania. Gdy czytelnicy nieoczekiwanie dostali pocztą „HG", sądzili, że to zupełnie inny magazyn i czekali aż przyjdzie prenumerowany „Home & Garden". Wielu wycofało się z prenumeraty i reklamodawcy też zaczęli rezygnować ze współpracy. Jednocześnie widać było, że serce Anny bije zupełnie gdzie indziej – w czasie ważnych targów wnętrzarskich ją widziano na pokazach mody. Opuściła „HG" po zaledwie 9 miesiącach.

W tym czasie jednak sporo zdążyło się zmienić w samym „Vogue". Po długich rozmowach Grace Mirabella odeszła na emeryturę i na Annę wreszcie czekało stanowisko, do otrzymania którego dążyła od 26 lat: redaktor naczelnej „Vogue".

W 1988 gdy przejęła stery, pozycja blisko stuletniego magazynu była zagrożona. Prawie tyle samo co „Vogue" zarabiał założony zaledwie trzy lata wcześniej magazyn „Elle". „Vogue" nie nadążał za szybko zmieniającą się modą, ale najgroźniejsze było to, że w swoim dążeniu do perfekcji stawał się nudny dla czytelników.

Pierwszą rzeczą, jaka rzuciła się Annie w oczy, gdy przeniosła się do nowojorskiej redakcji, było rozczłonkowanie zespołu. Dla kobiety, która w swoim doświadczeniu miała tworzenie wszystkich aspektów magazynu, było szokiem to, że w amerykańskim „Vogue" każdy specjalista od tkanin, od butów czy od dodatków miał osobne biuro. Ci wszyscy ludzie spotykali się tylko na zebraniach i Anna widziała w tym ogromną stratę potencjału. Wymieniła część zespołu, ale tym razem postanowiła też na nowo zbudować całą strukturę pracy w redakcji.

Żeby uratować „Vogue" trzeba było zmienić treści, styl, grupę docelową i sam wizerunek magazynu. Nie dysponując badaniami rynkowymi, które pomogłyby jej w wyznaczeniu kierunku zmian, Anna musiała wybiec myślą w przyszłość i zdać się na swoją intuicję. Pierwsza okładka pod jej kierownictwem była zapowiedzią rewolucyjnych zmian.

Wcześniejsze okładki „Vogue" były do złudzenia podobne: wszystkie przedstawiały supermodelki o nierealnych standardach urody w bardzo drogich ubraniach fotografowane w studiu. Anna nie zamierzała iść tą samą drogą. Jak zawsze nowatorska i pomysłowa, dokonała zasadniczej zmiany stylu czasopisma. Na pierwszej okładce Anny widać było modelkę na ulicy, w świetle dziennym, ubraną w bardzo drogi t-shirt zestawiony z dżinsami z sieciówki. Wszystko w tej okładce było kontrowersyjne – od zestawienia drogich ubrań z tanimi, przez światło, po fakt, że widać było fragment brzucha modelki. To była moda znana z ulicy, a nie z salonów i wybiegów. To był zarazem manifest, że „Vogue" interesuje się tym, co robią zwykli ludzie w codziennym życiu. Było to tak radykalne odejście od konwencji, że drukarnia kilka razy upewniała się, czy nie zaszła pomyłka, czy rzeczywiście „Vogue" z taką okładką ma trafić do druku.

Na tym jednak zmiany się nie skończyły. Na okładkach „Vogue" zaczęli się pojawiać celebryci. Od gwiazd sportu jak LeBron James, po polityków jak Hillary Clinton. Praca z celebrytami była wyzwaniem dla fotografów i stylistów, ponieważ nie tylko nie wyglądają oni jak supermodelki, ale też nie posiadają umiejętności pozowania. Dla Anny zaś wejście w świat gwiazd filmu, sportu czy polityki oznaczało zbudowanie całej sieci nowych relacji biznesowych. To wymagało lat pracy – umawiania się na spotkania, dowiadywania się, kogo można poznać dzięki komu, planowania, oddawania przysług, które mogą w przyszłości zaowocować ciekawą współpracą. Przyniosło to jednak oczekiwane rezultaty i już w 1992 roku „Vogue" zaczął bić rekordy sprzedaży.

Współcześnie amerykański „Vogue" ma blisko 11,5 miliona czytelników wersji papierowej i około 1,3 miliona czytelników on-line. Pod wodzą Anny Wintour czasopismo odniosło największy komercyjny sukces w swojej historii i mocno wyprzedziło konkurencyjne magazyny, takie jak „Elle" czy „Harper's Bazaar". Stało się też dosłownie jednym z największych magazynów świata – wrześniowy numer z 2004 roku liczył 832 strony.

Sukces komercyjny to jednak tylko jeden z efektów pracy Anny Wintour. „Vogue" pod jej redakcją stał się symbolem swoich czasów, a pojawienie się na jego okładce jest wielkim wyróżnieniem. Gwiazdy pracują latami, by się tam znaleźć, a jeśli Anna zażąda od nich radykalnej zmiany wagi albo zrobienia operacji plastycznej, liczą się z jej zdaniem. Bo też dla wielu jest to jeden z najważniejszych punktów w karierze, a także coś, co wpływa na ich wizerunek na całym świecie. Pojawienie się na okładce magazynu Hillary Clinton rozbudziło ogólnokrajową dyskusję o tym, czy Amerykanie są gotowi zobaczyć w tej samej osobie silnego polityka i elegancką kobietę.

Tworząc magazyn, który aktywnie kształtuje popkulturę, Anna sama stała się jej częścią. Była pierwowzorem bohaterki książki i filmu *Diabeł ubiera się u Prady*, granej w filmie przez z Meryl Streep. Jej charakterystyczna fryzura zestawiona z ogromnymi okularami jest symbolem, który pojawia się na wybiegach, sesjach zdjęciowych, w filmach, a nawet w kreskówkach.

Dla Anny Wintour jej pozycja zawodowa to przede wszystkim narzędzie do tego, by tchnąć nowego ducha w świat mody. Od początku pracy w „Vogue" robiła miejsce dla nowych twarzy i talentów. To dzięki jej wsparciu znani stali się twórcy, tacy jak Marc Jacobs czy Alexander McQueen, dzięki niej John Galliano dostał stanowisko głównego projektanta domu mody

Dior. Szukając sposobów na to, by nowe osobowości miały szansę zaistnieć dla szerokiego grona odbiorców, Anna zaangażowała się w program CFDA/Vogue Fashion Fund - coroczny konkurs przyznający stypendia i promujący młodych, nieznanych projektantów. Dzięki niemu objawili się między innymi Thom Browne czy Adam Selman.

Anna miała od bardzo wczesnego wieku jasną wizję, co chce osiągnąć i temu podporządkowała wszystkie aspekty swojego życia. Nie interesowało jej to, co jest łatwe - nie wybrała kariery, w której pomogłyby jej wpływy rodziców. Nie poszła na studia, mimo że miała do tego dość inteligencji i uporu. Jej sposób pracy sprawił, że zyskała wielu wrogów, a duża część ludzi ze świata mody nie lubi jej lub się jej boi. Trudno też pochwalać jej instrumentalne podejście do ludzi. Jednak wystarczy spojrzeć na prace wybitnych artystów, którzy dzięki niej rozpoczęli wielkie kariery, by zrozumieć, że lata jej ciężkiej pracy i uporu miały sens.

KALENDARIUM:

1949 – urodziła się Anna Wintour

1964 – w wieku 15 lat zaczyna pracę w modnym butiku Biba

1970 – Wintour dostaje pracę w „Harper's & Queen" („Harper's Bazaar") w Londynie jako asystentka redakcji; dzięki swoim znajomościom odkrywa dla czasopisma modelkę Annabel Hodin i załatwia jej sesje fotograficzne z wpływowymi fotografami

1975 – Zaczyna pracę w „Harper's Bazaar" w Nowym Jorku; jej innowacyjny styl nie znajduje uznania i traci pracę po 9 miesiącach; uprawia intensywny networking w Nowym Jorku, poznając między innymi Boba Marleya

1975/1976 – przez krótki czas pracuje w magazynie „Viva", gdzie po raz pierwszy ma osobistą asystentkę – już wtedy jest dla niej bardzo wymagająca

1980 – zostaje redaktorką działu mody w nowo powstałym magazynie „Savvy"; po raz pierwszy jej grupą docelową są kobiety skupione na karierze, wydające własne pieniądze

1981 – zostaje redaktorką działu mody w magazynie „New York"; kontrowersyjny styl jej sesji zdjęciowych wreszcie zaczyna przyciągać uwagę

1983 – zostaje dyrektor kreatywną w amerykańskim „Vogue"; rozpoczyna długoletnią współpracę z wydawnictwem Conde Nast

1985 – otrzymuje stanowisko redaktor naczelnej w brytyjskim „Vogue"

1987 – wraca do Nowego Jorku i zostaje redaktor naczelną magazynu „House & Garden"

1988 – zostaje redaktor naczelną amerykańskiego „Vogue"

1990-2000 – „Vogue" staje się najsilniejszym magazynem modowym na rynku, wyprzedza „Elle" i „Harper's Bazaar"

2003 – pojawia się książka inspirowana postacią Anny *Devil wears Prada*

2004-2007 – powstają spin-offy czasopisma: „Teen Vogue", „Vogue Living" oraz „Men's Vogue"

2006 – film *Devil wears Prada* z Meryl Streep w roli postaci wzorowanej na Annie Wintour

2008 – Anna otrzymuje tytuł OBE od królowej Elżbiety II

2008 – kryzys ekonomiczny negatywnie odbija się na czasopiśmie, jednocześnie kilka niezależnych wydarzeń nadwyręża wizerunek czasopisma i samej Anny

2013 – wydawnictwo poszerza jej kompetencje, nadając jej stanowisko dyrektora artystycznego Conde Nast

2014 – instytut strojów w Metropolitan Museum of Art zostaje nazwanym imieniem Anny Wintour

CIEKAWOSTKI:

- Anna Wintour codziennie wstaje o 5:45 i przed rozpoczęciem dnia pracy znajduje czas na sport i stylizację z pomocą fryzjera i makijażysty.

- Anna angażuje się w kampanie polityczne – zebrała jedną z największych sum na kampanię Baracka Obamy w 2008 i 2012 roku, a także czuwała nad strojami Hillary Clinton podczas kampanii prezydenckiej 2016 roku.
- Dzięki jej inicjatywie zebrano ponad 10 milionów dolarów na walkę z AIDS.
- Anna zaangażowała się w zbieranie funduszy na instytut mody w Metropolitan Museum of Art – dzięki niej zebrano 125 milionów dolarów, zaś instytut został nazwany The Anna Wintour Costume Center.
- Gdy w latach 90. Anna zaczęła promować na łamach „Vogue" i w życiu prywatnym noszenie futer, odrodził się dzięki temu cały przemysł futrzarski. Od tej pory Anna stała się celem licznych ataków ze strony obrońców praw zwierząt.
- W 2003 roku była asystentka Anny Lauren Weisberger napisała książkę *Diabeł ubiera się u Prady*, w której główna postać była inspirowana osobą Anny Wintour. W 2006 roku powstał film pod tym samym tytułem, w którym

główną rolę zagrała Meryl Streep. Na nowojorską premierę filmu Anna Wintour przyszła ubrana w strój od Prady.

MYŚLI NA PODSTAWIE ŻYCIORYSU:

Potraktuj poważnie networking jako istotną część pracy.

Pozwól sobie na to, żeby mieć swój własny gust i go wyrażać.

Miej wizję tego, do czego dążysz, i staraj się ją konsekwentnie realizować.

Obserwuj uważnie to, co się dzieje wokół ciebie, jak wygląda życie zwykłych ludzi i na tej podstawie próbuj przewidywać trendy.

Bądź ambitny.

CYTATY:

„Kiedy żyjesz, koncentrując się na swoim celu, tworzysz przestrzeń do tego, by osiągnąć coś wybitnego w każdym sensie".

„Moda nie polega na patrzeniu za siebie. Zawsze polega na patrzeniu w przyszłość".

„Bardzo ważne jest podejmowanie ryzyka. Uważam, że badania są bardzo ważne, ale ostatecznie trzeba pracować na podstawie własnego instynktu i uczuć, brać na siebie to ryzyko i nie bać się".

ŹRÓDŁA I INSPIRACJE:

Magazyn „Vogue": http://www.vogue.com.

Biografia Anny Wintour na stronach „Vogue": http://www.vogue.co.uk/article/anna-wintour-biography.

Rozmowa z Anną Wintour: http://nymag.com/thecut/2015/05/anna-wintour-amy-larocca-in-conversation.html.

Wypowiedź z Oxford Union, kwiecień 2015: https://www.youtube.com/watch?v=WxlrjalADs8.

Filmy:
The September Issue, 2009.
The First Monday in May, 2016.
Devil wears Prada, 2006.

Książki:
Jerry Oppenheimer, *Front Row: The Cool Life and Hot Times of Vogue's Editor In Chief*, St. Martin's Press, 2005.
Lauren Weisberger, *The Devil Wears Prada*, Broadway Books, 2003.

Ettore Bugatti

(1881-1947)

włoski konstruktor i projektant samochodów wyścigowych, twórca jednej z najbardziej rozpoznawalnych i kultowych marek w historii motoryzacji

Genialny konstruktor i perfekcyjny producent, którego samochody są do dziś symbolem sukcesu w sportach motorowych. Konstruktor-artysta dbający nie tylko o technikę, ale też o design swoich projektów. Jego zainteresowania były bardzo rozległe: motoryzacja, samoloty, łodzie motorowe, pociągi. W każdej z tych dziedzin odcisnął swoje piętno i wytyczył kierunki rozwoju na kolejne lata. Biznesmen i sportowiec, dla którego rywalizacja była czymś naturalnym. Na torze i w życiu nie poddawał się. Zawsze wierzył w końcowy sukces, który można odnieść dzięki konsekwencji i pracy. Szanujący ciężką pracę swoich ludzi i hojnie ich za to wynagradzający. Wymagający i życzliwy, a gdy wymagała tego sytuacja – konsekwentny i stanowczy. Na co dzień pełen humoru, potrafiący rozbawić do łez najbliższych. Czasem ujawniał wrażliwą duszę artysty. Ettore Bugatti.

Urodził się w Mediolanie. Jego ojciec był rzeźbiarzem, projektował meble oraz biżuterię. Dziadek Ettore również był rzeźbiarzem i poza tym architektem, a ciocia Ettore wyszła za artystę malarza. Młodszy brat Rembrandt poszedł w ślady ojca i zajął się rzeźbiarstwem. Wydawać by się mogło, że Ettore jest skazany na zajęcie się sztuką. Ukończył nawet Akademię Sztuk Pięknych w Mediolanie. Wiedział jednak, że nie jest mu pisane zostać artystą. Od najmłodszych lat interesował się mechaniką. Nie miał formalnego wykształcenia w tym zakresie. Całą wiedzę czerpał z samodzielnej nauki. Jako nastolatek zgłosił się do firmy Prinetti i Stucci zajmującej się produkcją bicykli. W warsztatach produkujących rowery spędzał całe dnie. Godzinami rozkręcał i skręcał rowery, uczył się zasad mechaniki, ślęczał nad projektami i rysunkami. Zafascynowały go wtedy silniki spalinowe. Zgłębiał tajniki ich konstrukcji. Interesował się przede wszystkim sposobami ich wykorzystania do napędzani bicykli. Wielomiesięczna nauka i praca przyniosły efekty. Jako 17-latek skonstruował swój pierwszy pojazd napędzany silnikiem. Był to... trzykołowy rower. Młody Bugatti już wiedział, że jego powołaniem jest konstruowanie pojazdów napędzanych silnikiem, i to nie tylko rowerów!

Rodzice, którzy widzieli zapał syna, postanowili mu pomóc. Carlo, ojciec Ettore, sfinansował drugi projekt syna. Pojazd tak się spodobał, że na targach motoryzacyjnych, które odbyły się w Mediolanie w 1901 roku, otrzymał jedną z nagród. Młody utalentowany konstruktor zwrócił na siebie uwagę niemieckiego przedsiębiorcy barona de Dietricha, który zaproponował mu pracę w swojej firmie w Kolonii. Ettore został szefem biura projektowego, mając 20 lat. Kontrakt w jego imieniu podpisał ojciec, gdyż on sam nie był jeszcze pełnoletni. W czasie dwóch lat współpracy (1902-1904) taśmę opuściło kilka prototypów, lecz żaden z nich nie wszedł do produkcji i kontrakt został rozwiązany. Powód? Baron de Dietrich był niezadowolony z faktu, że Bugatti poświęcał cały swój czas na projektowanie aut wyścigowych, kiedy on jako właściciel oczekiwał uruchomienia produkcji masowej samochodów przeznaczonych do codziennej jazdy. Ettore nie zrezygnował ze swojej pasji i nie ugiął się pod żądaniami swojego pryncypała. Pokazał tym charakter i determinację w dążeniu do jasno określonego celu, czyli stworzenia samochodu wyścigowego.

Po odejściu z firmy de Dietricha znalazł zatrudnienie u Emila Mathiasa, kolejnego miłośnika motoryzacji, dla którego zaprojektował jeden model: samochód z silnikiem 4-cylindrowym. To było jednak wszystko, czym zaowocowała dwuletnia współpraca obu panów. Ettore znowu został bez pracy i bez środków na realizację swoich planów. Mimo to cały czas poświęcał na projektowanie samochodów. Swoje biuro projektowe miał w piwnicy domu w Kolonii, gdzie mieszkał. Efektem wielomiesięcznych prac był projekt auta z silnikiem o mocy 50 koni mechanicznych. Ettore mocno wierzył w swój pomysł, jednak nie mógł znaleźć firmy, która zdecydowałaby się najpierw na stworzenie prototypu, a następnie na uruchomienie produkcji. Był jednak uparty. Chodził od drzwi do drzwi. W końcu zapukał do firmy Deutz, zajmującej się produkcją silników gazowych i tam usłyszał: „Dobra. Robimy to!". Był 1906 rok. Ettore myślał wtedy, że szczęście wreszcie się do niego uśmiechnęło. W ciągu trzech lat powstało kilka prototypów samochodów, lecz tak jak w przypadku wcześniejszych kooperacji, nie zaowocowało to uruchomieniem produkcji.

Rozczarowany tymi niepowodzeniami, Ettore zdecydował się w 1909 roku postawić wszystko na jedną kartę i samodzielnie rozpocząć produkcję. Za pożyczone z banku pieniądze kupił budynki po starych zakładach produkujących farby i chemikalia w Molsheim w Alzacji. Tam w ciągu roku wyprodukował pięć samochodów według swoich projektów i wszystkie pięć znalazły nabywców! Po dekadzie niepowodzeń, zrywaniu kolejnych kontraktów, podejmowaniu ciągłych prób, pracy dniami przy produkcji i nocami przy desce projektowej Ettore w końcu odniósł sukces! To zmobilizowało go do jeszcze większych wysiłków. Czuł, że to jego czas, tym bardziej że auta, które projektował i produkował, zaczęły wygrywać na torach wyścigowych w Europie. Pogromcami konkurencji były: Bugatti Model 10 i Model 13. „Trzynastka" rozwijała nieprawdopodobną na tamte czasy prędkość ponad 160 km/h. W pokonanym polu auta Bugatti zostawiały najsilniejsze wtedy marki: Mercedesa, Alfę Romeo i Fiata. Rok 1911 zaowocował nowym kontraktem na mały samochód dla firmy Peugeot.

W czasie pierwszej wojny światowej firma Bugattiego zajmowała się produkcją silników samolotowych, realizując kontrakty dla rządów francuskiego i amerykańskiego. Za zarobione dzięki temu pieniądze Ettore mógł dalej rozwijać firmę – w fabryce w Alzacji pracowało już 1000 osób. Ettore zawsze bardzo dobrze traktował swoich pracowników. Nie wywyższał się, a z niektórymi nawet przyjaźnił. Był bardzo hojny – płacił wysokie składki na ubezpieczenia społeczne swoich ludzi, aby otrzymali dobre emerytury. Zarobki w firmie Bugatti znacznie przewyższały średnie zarobki w branży motoryzacyjnej. Ettore chciał, aby jego pracownicy mieli swój udział w sukcesie firmy i byli przez to bardziej z nią związani. Dlatego tak bardzo zabolało go to, co wydarzyło się w 1936 roku, gdy jego pracownicy przyłączyli się do obejmującej całą Francję fali strajków robotniczych, domagając się podwyżek. Nie mógł zrozumieć, jak jego dobrze wynagradzani ludzie mogli mu to zrobić. Potraktował to jako osobistą zniewagę. Opuścił fabrykę i kierował nią od tego czasu z Paryża, sporadycznie pojawiając się w biurze w Molsheim.

Nowo zatrudnieni pracownicy nie mogli już liczyć na tak dobre traktowanie. Po strajku w 1936 w zakładach Bugatti nigdy już nie było tak, jak wcześniej. W 1916 roku Bugatti przeżył wielką i niespodziewaną tragedię – samobójstwo popełnił jego młodszy brat Rembrandt. Ten wrażliwy człowiek nie mógł otrząsnąć się z traumy po przeżyciach z czasów I wojny światowej. Pracował wtedy jako wolontariusz dla Czerwonego Krzyża i pomagał w szpitalu wojskowym. Bezmiar tragedii, jaki tam zobaczył, spowodował trwałe zmiany w jego psychice. Nie poradził sobie z tym, wpadł w depresję, która w końcu doprowadziła go do samobójstwa. Ettore w hołdzie bratu w swoim topowym modelu Bugatti Royale umieścił jako korek do chłodnicy sylwetkę konia wyrzeźbioną przez Rembrandta. Auto, o którym mowa, było spełnieniem wielkiego marzenia włoskiego geniusza, które prowadziło go przez te wszystkie lata zmagań z produkcją samochodów: stworzenia „najwspanialszego samochodu" w historii motoryzacji.

Pracował nad tym projektem od roku 1914, aby po 12 latach, w roku 1926, światło dzienne ujrzał Bugatti Royale. Auto było imponujące. Posiadało silnik o pojemności blisko 13 litrów i mocy 300 koni mechanicznych. Każdy, nawet najdrobniejszy szczegół był tu dopracowany do perfekcji. Ettore przywiązywał bowiem uwagę nie tylko do kluczowych elementów samochodu, lecz także do najdrobniejszych szczegółów, takich jak ułożenie kabli elektrycznych czy wygląd bloku silnika, na którym wykonywano piękne wzory specjalną techniką zdobienia. Tu w pełni objawiała się artystyczna dusza konstruktora, którą odziedziczył po rodzicach. Niestety, auto pojawiło się na rynku w najgorszym możliwym momencie – w czasach wielkiego kryzysu gospodarczego, jaki nawiedził najpierw Stany Zjednoczone, a potem Europę. Nie było na nie chętnych. Ettore wstępnie planował produkcję dwudziestu pięciu sztuk, ostatecznie z taśmy zjechało tylko sześć. Swoich właścicieli znalazły zaledwie trzy samochody. To był wielki zawód dla Bugattiego. Był on jednak urodzonym przedsiębiorcą uwielbiającym stawać przed wielkimi wyzwaniami.

Zastanawiając się, w jaki sposób przekuć porażkę z Royalem w sukces, wpadł na pomysł stworzenia… szynobusu, pojazdu pasażerskiego do komunikacji kolejowej. Taki szynobus potrzebowałby potężnego silnika, który Bugatti już przecież miał! 13 litrów pojemności i 300 koni mocy czekało na wykorzystanie w niesprzedanych royalach. Ettore zaproponował wyprodukowanie takiego pociągu rządowi francuskiemu i otrzymał zlecenie na realizację tego projektu! W roku 1932 na torach pojawił się pociąg Bugatti. Maszyna osiągała zawrotną prędkość 190 km na godzinę. Rząd francuski był zachwycony projektem przygotowanym osobiście przez Ettore. Pieniądze z kontraktu zapewniły spokojne funkcjonowanie firmie na kolejne lata. Ettore zajął się kolejnymi projektami aut wyścigowych. Stworzył między innymi samochód oznaczony jako G 57 Tank, który swoimi kształtami i aerodynamiką wyprzedzał o lata świetlne konkurencję i nawiązywał do współcześnie nam produkowanych samochodów wyścigowych. Auto wygrało między innymi słynny wyścig w Le Mans.

Ettore uruchomił w Paryżu salon sprzedaży Bugatti. Wykazał się przy tym innowacyjnym pomysłem na przyciągnięcie klientów. Ucząc się sprzedaży i obserwując klientów, zauważył, że każdy z nich po pierwsze jest bogaty, bo wtedy auta kupowali tylko ludzie zamożni, a po drugie chce się poczuć wyjątkowy, kupując auto Bugatti będące synonimem prestiżu i sukcesu. Dlatego postanowił wyjątkowo traktować swoich klientów klasy premium. Zapraszał ich do swojej fabryki w Molsheim, oprowadzał po hali produkcyjnej, aby na własne oczy mogli zobaczyć, w jaki sposób powstają samochody Bugatti. Aby zapewnić im dobre warunki pobytu, niedaleko fabryki wybudował… hotel dla swoich gości! W ten pomysłowy sposób zapewnił sobie rozgłos i nieprzerwany dopływ klientów.

Wszystko układało się bardzo dobrze aż do 1939 roku, gdy na Ettore spadł kolejny cios. Jego ukochany syn Jean zginął na torze, testując jedno z aut. Jean był prawą ręką ojca. Od roku 1932 roku Ettore powoli, lecz systematycznie przekazywał mu władzę w firmie. Jean sprawdzał się szczególnie w zarządzaniu ludźmi i usprawnianiu procesów produkcyjnych, stąd jego śmierć nie tylko ogromnie dotknęła Ettore, lecz także zatrzymała rozwój firmy. Od tego momentu firma Bugatti zaczęła podupadać. Przyczyniła się do tego również II wojna światowa, podczas której Ettore został zmuszony do sprzedania swoich zakładów produkcyjnych Niemcom. Hitlerowcy produkowali tam amfibie na potrzeby swojej armii.

Po wojnie Bugatti walczył o odzyskanie swojej fabryki. Udało mu się to, lecz z powodu kłopotów finansowych w latach 1945-1947, czyli do śmierci włoskiego konstruktora, fabrykę opuścił tylko jeden prototyp.

Wyczerpany walką o odzyskanie firmy i przybity śmiercią syna, Ettore nie mógł wykrzesać z siebie energii do dalszej pracy. Ukojenie znajdował, projektując i pracując w kupionej tuż po wojnie stoczni jachtowej pod Paryżem. Paradoksalnie to właśnie doprowadziło do jego śmierci. Spędzając mnóstwo czasu na wodzie, przeziębił się, co w konsekwencji doprowadziło do przewlekłego zapalenia płuc. Na kilka miesięcy zapadł w śpiączkę i 21 sierpnia 1947 roku umarł w szpitalu w Paryżu. Prywatnie był ciepłym, rodzinnym i wesołym człowiekiem. Do dziś zachowały się rodzinne filmy Bugattiego, na których żartuje, a czasem nawet wygłupia się ze swoimi, nawet już dorosłymi dziećmi. Mimo wielkiego zaangażowania w sprawy firmy znajdował czas dla rodziny. Żonaty był dwa razy. Jego pierwszą żoną była Barbara Mascherpa, która dała mu dwie córki i dwóch synów, między innymi tragicznie zmarłego Jeana. Po śmierci Barbary w 1944 roku Ettore ożenił z Genevieve Delcuze. Para znała się i spotykała jeszcze w czasach, gdy Ettore był w związku z Barbarą. Owocem tej namiętności była dwójka dzieci: Teresa urodzona w 1942 roku i trzy lata młodszy Michael. Małżeństwo zawarte w 1946 roku trwało zaledwie kilkanaście miesięcy. Kilka lat po śmierci Ettore firma Bugatti przestała istnieć. Reaktywowano ją pod koniec lat osiemdziesiątych ubiegłego stulecia, ale to już zupełnie inna historia.

Życie Ettore Bugattiego jest dowodem na to, że warto iść własną drogą, nawet gdy spotykają nas chwilowe niepowodzenia. Nasze wykształcenie niezwiązane z branżą, w jakiej pracujemy, możemy sprytnie wykorzystać, aby wyróżnić się spośród konkurentów, tak jak zrobił to Bugatti, dodając nutę artyzmu do swoich perfekcyjnych konstrukcji mechanicznych. Istotną przyczyną jego sukcesu była pracowitość i gotowość do uczenia się wciąż nowych rzeczy. Gdy istniała taka potrzeba, był silny i konkretny, jednak w głębi swej artystycznej duszy był wrażliwym człowiekiem. Ta wrażliwość spowodowała, że po śmierci najpierw brata, potem syna i po walce o odzyskanie swojej fabryki utraconej w II wojnie światowej nie miał już sił i chęci do kontynuowania produkcji aut. Mimo tego nazwisko Bugatti dla miłośników motoryzacji zawsze będzie oznaczało „wszystko, co najlepsze w samochodach".

KALENDARIUM:

15 września 1881 – narodziny Ettore Bugatti w Mediolanie

1884 – narodziny brata – Rembrandta, przyszłego rzeźbiarza

1898 – Bugatti konstruuje swój pierwszy pojazd mechaniczny – trzykołowy rower z silnikiem (Bugatti Type 1)

1901 – nagroda na targach motoryzacyjnych w Mediolanie za Bugatti Type 2 przypominający już „prawdziwy" samochód

1902 – Ettore zostaje szefem biura projektowego samochodów w firmie barona de Dietrycha; tam powstaje m.in. pierwszy, wyścigowy bolid Bugattiego oznaczony symbolem Type 5

1904 – Ettore odchodzi z firmy Dietrycha z powodu różnicy zdań co do dalszych kierunków rozwoju i w tym samym roku rozpoczyna współpracę z Emilem Mathiasem, fanem motoryzacji; przez dwa lata opracowuje kilka kolejnych prototypów aut

1907 – po rozstaniu z Mathiasem, Bugatti współpracuje nad kolejnymi autami z firmą Deutz a nocami w swojej piwnicy samodzielnie opracowuje projekty samochodów wyścigowych; w tym roku żeni się z Barbarą Mascherpą, z którą później ma czwórkę dzieci

1909 – Ettore decyduje się na otwarcie własnej fabryki w Molsheim, w Alzacji; pożycza pieniądze z banku i kupuje budynki po fabryce farb i chemikaliów; w tym samym roku rodzi się pierwszy syn Jean, który stanie się prawą ręką ojca w prowadzeniu biznesu

1910 – sukces! pierwsze auta Bugatti znajdują nabywców; modele Bugatti Type 10 do Bugatti Type 13 robią furorę wśród miłośników motoryzacji

1914 – Bugatti otrzymuje zamówienia rządów francuskiego i amerykańskiego na produkcję silników do samolotów walczących w czasie I wojny światowej

1916 – samobójstwo popełnia brat Ettorego Rembrandt – wrażliwa dusza artysty nie poradziła sobie z bezmiarem cierpień wojny

1920 – Bugatti Type 13 wygrywa słynny wyścig w Le Mans

1926 – Ettore realizuje swoje wielkie marzenie: z taśmy w jego zakładach zjeżdża super luksusowy wóz Bugatti Royale; niestety, ze względu na kryzys gospodarczy sprzedają się tylko

3 egzemplarze; firma, która zainwestowała ogromne środki w ten projekt, wpada w kłopoty finansowe

1932 – Bugatti projektuje i produkuje pierwszy szynobus z wykorzystaniem potężnego silnika z modelu Royale; rząd francuski kupuje od niego maszynę i zamawia kolejne; pieniądze z tego zamówienia stawiają firmę na nogi

1936 – strajk w zakładach Bugatti w Molsheim w Alzacji; Ettore, który zawsze dobrze traktował pracowników, jest załamany i wyjeżdża do Paryża.; odtąd rzadko pojawia się w fabryce

1939 – kolejna tragedia w rodzinie Bugattiego – podczas testowania auta ginie jego syn Jean; ta śmierć rzuca cień na całe dalsze życie Ettore

1944 – w czasie II wojny światowej Bugatti zostaje zmuszony do sprzedaży swoich zakładów Niemcom; narodowi socjaliści produkują w nich amfibie na potrzeby armii; w tym samym roku umiera pierwsza żona Ettore Barbara

1945 – Ettore odzyskuje fabrykę, lecz jest tak zmęczony walką o nią i załamany śmiercią syna, że nie ma chęci na uruchomienie produkcji – przez dwa lata zakład opuszcza tylko jeden model; ukojenie znajduje projektując łodzie w swojej stoczni jachtowej

1946 – Bugatti żeni się po raz drugi – jego wybranką jest Genevieve Delcuze, z którą ma dwójkę dzieci

21 sierpnia 1947 – Ettore umiera w szpitalu w Paryżu z powodu powikłań po zapaleniu płuc

CIEKAWOSTKI:

- Bugatti uważał się za konstruktora artystę. Ogromną wagę przywiązywał do designu swoich pojazdów. Jego samochody miały być nie tylko najszybsze, ale też najbardziej luksusowe i zaawansowane technologicznie. Był perfekcjonistą – aby nie stosować uszczelek miedzy elementami silnika, wszystkie powierzchnie styku były ręcznie polerowane. Stosowane materiały były wyłącznie najlepszej jakości, co powodowało, że samochody ze stajni Bugatti były nie tylko piękne, ale i trwałe. Jeden z największych konkurentów Bugattiego Walter Bentley mówił o nich: „To najszybsze auta ciężarowe na świecie!”.

- W czasie 40 lat funkcjonowania firmy z taśm produkcyjnych zjechało blisko 8000 samochodów Bugatti. Modele, które przetrwały do dziś, osiągają zawrotne ceny. Kultowy Type 41 Royale, którego powstało zaledwie 6 egzemplarzy, na licytacjach osiągnął zawrotną cenę 15 milionów euro!
- Lata 20. poprzedniego wieku to pasmo sukcesów aut Bugatti na torach w Europie. Biorąc pod uwagę wszystkie wyścigi, w jakich uczestniczyły auta Ettore, oraz wszystkie klasyfikacje, Bugatti zdobył 2000 nagród!
- Konkurenci firmy Bugatti zastanawiali się, jak auta o niewielkiej mocy mogą pokonywać ich monstra wyścigowe z wielkimi silnikami. Jaka była tajemnica sukcesu Bugatti? Ettore jako pierwszy konstruktor wprowadził pojęcie sto-

sunku mocy silnika do masy samochodu. Wiedział, że aby auto było szybkie, nie trzeba budować wielkich silników, lecz wystarczy obniżyć wagę samochodu. Taki właśnie był kultowy Bugatti Model 13. Ettore, znów jako pierwszy, wprowadził aluminiowe elementy, aby obniżyć wagę swoich pojazdów. To był właśnie przykład jego innowacyjnego podejścia do pracy i szukania alternatywnych rozwiązań, które często szły inną drogą niż pomysły konkurentów.

- Bugatti był człowiekiem bardzo wrażliwym na punkcie swoich samochodów, a przy tym dowcipnym. Pewnego razu, gdy jeden z jego klientów skarżył się na słabe hamulce, Ettore odpowiedział mu: „Mój panie, ja produkuję samochody, które mają jeździć, a nie zatrzymywać się/hamować!".
- W roku 1962 bracia Schlumpf, którzy byli fanami Bugattiego, zaczęli skupować auta, jakie były dostępne wtedy na rynku. Pozyskali w ten sposób około 50 samochodów od właścicieli prywatnych, 18 kupili od rodziny Bu-

gatti, a 30 od prywatnego kolekcjonera, Amerykanina Johna Shakespeare'a. Auta trzymali w Miluzie we wschodniej Francji. Z powodu kłopotów finansowych firmy tekstylnej braci Schlumpf kolekcja przeszła na własność rządu Francji, który postanowił udostępnić ją miłośnikom motoryzacji. W 1982 roku w Miluzie otwarto muzeum marki Bugatti.

CYTATY:

„Buduję moje auta po to, by jeździły, a nie po to, by się zatrzymywały".

„To, co jest piękne, nigdy nie jest za drogie".

„Idealne auto to czysta krew, nieskazitelny kształt i absolutna przejrzystość".

„Zawsze jestem pewny zwycięstwa, nawet przed startem".

ŹRÓDŁA I INSPIRACJE:

Historia firmy Bugatti na oficjalnej stronie internetowej: http://www.bugatti.com/tradition/history/#.

Film biograficzny na portalu YouTube: https://www.youtube.com/watch?v=aerVuHwnZ-s.

Biografia Ettore Bugattiego na stronie Life In Italy: http://www.lifeinitaly.com/italian-cars/bugatti-history.asp.

Barry Eagelfield, *Bugatti – The Designer*, Brooklands Books Ltd., 2013.

Jonathan Wood, *Bugatti: The Man and the Marque*, The Crowood Press Ltd., 1992.

*

Gabrielle Bonheur Chanel

(1883-1971)

francuska projektantka mody

Nie ma chyba nikogo, kto nie słyszał o Coco Chanel – ikonie świata mody, której kreacje wciąż są obiektami pożądania wszystkich kobiet. Nie każdy jednak wie, jak wiele silnej woli i determinacji potrzebowała Chanel, aby wypracować sobie pozycję niekwestionowanego numeru jeden w biznesie modowym.

Gabrielle Chanel z całą pewnością mogłaby zostać modelem wyrażenia „trudny start". Urodziła się 19 sierpnia 1883 roku w przytułku dla ubogich w Saumun jako nieślubne dziecko Alberta Chanel i Jean Devolle. Gdy miała zaledwie

12 lat, jej matka zmarła, a zaraz po tym opuścił ją również ojciec. Tym samym Gabrielle i jej piątka rodzeństwa zostali pozbawieni opieki i poczucia bezpieczeństwa, jakie daje obecność, chociażby najgorszych, rodziców.

Kolejne sześć lat po śmierci matki Gabrielle wraz z siostrami spędziła w sierocińcu w Autazine prowadzonym przez niezwykle surowe siostry zakonne. W ośrodku tym panowała dyscyplina i szorstka atmosfera, a jedyną rozrywką nastoletniej Gabrielle było patrzenie przez okno. Nie przejmowano się tam formalną edukacją dzieci, ważniejsze były praktyczne umiejętności, i to właśnie tam Gabrielle nauczyła się szyć. Raz do roku dziewczynki dostawały szyty na miarę identyczny czarny strój, podczas gdy przyszła projektantka tak bardzo marzyła wtedy o kolorowej sukience. Jednak w dorosłym życiu to właśnie czerń i zachowawcze kolory staną się znakiem rozpoznawczym Coco Chanel.

Gabrielle nie mogła doczekać się osiągnięcia pełnoletniości, czyli czasu, gdy w końcu będzie mogła zacząć sama o sobie decydować. W dniu osiemnastych urodzin obiecała sobie, że od tej chwili jej życie będzie wolne od ograniczeń. Jednak początek dorosłości w dalszym ciągu nie przypominał sielanki. Gabrielle, aby zarobić na utrzymanie, wykorzystała jedyną umiejętność wyniesioną z sierocińca – szycie, i postarała się o pracę u krawca w Moulins. Wieczorami dorabiała, śpiewając w kantynie dla żołnierzy. To właśnie tam przylgnął do niej pseudonim Coco – było to imię kotka, bohatera jednej ze śpiewanych przez nią piosenek. Coco Chanel przez chwilę marzyła o karierze scenicznej, jednak po niezbyt udanych występach w kurorcie w Vichy zrozumiała, że nie jest to jej przeznaczenie. Niepowodzenie nie zniechęciło jej jednak, spowodowało jedynie, że powróciła do szycia, nieustannie się w nim doskonaląc, i wkrótce znalazła niszę, w której z czasem uda jej się wiele osiągnąć.

Coco Chanel nie podobała się moda kobieca popularna w jej epoce. Z jednej strony nigdy nie było jej stać na drogie kreacje, a z drugiej – ciasne gorsety, ogromne kapelusze i suknie na kole kłóciły się z jej marzeniami o byciu wolną i nieskrępowaną przez ograniczenia, w tym również przez ubiór. Jednak nawet szyjąc ubrania, które odbiegały od jej wyobrażeń, nieustannie się uczyła. Poznawała tajniki krawiectwa i modniarstwa, początkowo skupiając się na tym drugim. Zaczęła projektować kapelusze – zdecydowanie mniejsze i bardziej praktyczne od tych widywanych na głowach pań początku XX wieku, lecz w dalszym ciągu niesłychanie eleganckie. Pierwszy kapelusz zrobiła dla siebie. Ogromną radość, ale i duże zdziwienie wzbudził w niej fakt, że cieszył się on ogromnym zainteresowaniem kobiet mijanych na ulicy. Szybko znalazły się pierwsze klientki chcące nosić właśnie ten model nakrycia głowy. Łatwo można sobie wyobrazić, jak bardzo było to motywujące i ekscytujące dla młodej Coco. Z nową energią i zapałem rozpoczęła projektowanie swojej autorskiej kolekcji. W otwarciu pierwszego sklepu pomógł jej Arthur „Boy" Capel – bogaty angielski przemysłowiec, największa miłość młodej modystki i szwaczki.

Capel odegrał wielką rolę w życiu Chanel nie tylko jako jej wielka miłość, lecz także swego rodzaju muza. Ich burzliwy związek trwał dziewięć lat mimo zawarcia przez Arthura małżeństwa z angielską arystokratką. Coco w swoich projektach inspirowała się strojami Boya do gry w polo, a on otaczał ją opieką i pomagał w otwieraniu kolejnych butików. Dzięki jego protekcji w 1910 roku otworzyła swój pierwszy sklep z modą w Paryżu, a w kolejnych latach również w nadmorskich kurortach w Deauvill i Biarritz. W 1919 roku Arthur zginął w wypadku samochodowym. Chanel bardzo to przeżyła; po latach stwierdziła, że „gdy straciła Capela, straciła wszystko".

Coco Chanel cechowała bezkompromisowość w torowaniu sobie ścieżki w świecie mody. Jak każdy, ona również nie była wolna od słabości. Projektantka bardzo wstydziła się swojej przeszłości. Uważała, że fakt bycia ubogą sierotą, w dodatku z nieprawego łoża, odcisnął na niej piętno nie do zmycia we Francji końca XIX i początku XX wieku. Celowo więc odejmowała sobie lat, opowiadała również zmyślone historie o swojej przeszłości. Twierdziła na przykład, że gdy jej matka zmarła, ojciec popłynął do Ameryki, zostawiając Gabrielle i jej rodzeństwo pod opieką ciotek. Wszystkie te fantazje były skutkiem kompleksów, jakie wywołały jej smutne dzieciństwo i ojciec, który najwyraźniej nigdy nie dorósł do tej roli.

W latach dwudziestych ubiegłego wieku Chanel stała się prekursorką luźniejszych strojów dla kobiet. Nigdy nie dążyła drogą wytyczoną przez poprzedniczki, choć korzystała z ich umiejętności krawieckich, ucząc się nienagannego krojenia i zszywania zaprojektowanych kreacji. W swoich projektach ignorowała gorsety, a tworząc kobiece koszulki, inspirowała się tymi, które dotychczas używane były jako... męska bielizna. Szybko zdobyła popularność wśród młodych klientek z pokolenia powojennego, którym gorsety i inne ograniczenia w ubiorze wydawały się staroświeckie i niepraktyczne. Coco, cały czas rozwijając swoje umiejętności, stworzyła nowy wizerunek kobiety. Nie skupiała się wyłącznie na ubraniach. W 1922 roku zaczęła też produkować perfumy, wypuszczając na rynek Chanel No. 5 – prawdopodobnie najlepiej rozpoznawalny zapach na świecie. Do kanonu mody weszła też zaprojektowana przez nią w 1925 roku słynna „mała czarna" – sukienka, która stała się znakiem firmowym Chanel i stałym elementem każdej nowej kolekcji, do teraz znajduje się w szafie niemal każdej kobiety w wielu krajach świata. Coco Chanel była konsekwentna w budowaniu swojego wizerunku i rozpoznawalnej linii ubioru, słusznie stwierdzając, że „moda przeminie, lecz styl pozostanie". Szła drogą wytyczoną przez siebie samą.

Druga wojna światowa zmusiła Chanel do zamknięcia sklepów i podjęcia pracy jako pielęgniarka. Zajęcie to, tak różne od tego czym zajmowała się przez całe życie, sprawiło, że miała szansę nauczyć się czegoś nowego – przede wszystkim pracy w spartańskich warunkach i pod ogromną presją czasu. W trudnych wojennych czasach nie ustrzegła się błędów – złą sławę przyniosły jej kontakty z nazistami. Aby wyciszyć kontrowersje wokół swojej osoby, po wojnie wyemigrowała do Szwajcarii. W 1954 roku powróciła do Paryża i do dawnego zajęcia, które było jej marzeniem i celem. W nowo otwartym salonie zaprezentowała kolejną zaprojektowaną przez siebie kolekcję ubrań. Jednak jej projekty zostały źle ocenione i w efekcie zbojkotowane przez klientki. Dotychczasowe życie projektantki dowiodło jednak, że nie jest ona osobą, którą może złamać jedno niepowodzenie. Chanel, zdeterminowana w dążeniu do celu, postanowiła spróbować swoich sił za oceanem. Kolekcja tak ostro skrytykowana na kontynencie okazała się prawdziwym hitem w Stanach Zjednoczonych. Dzięki temu Chanel wkrótce odzyskała swoją pozycję również w Europie. Czas spędzony za wielką wodą projektantka wykorzystała nie tylko na świętowanie kolejnego sukcesu swojej marki. Doskonale wiedziała, jak ważne jest nieustanne inwestowanie w siebie i dlatego zaczęła uczęszczać na kursy rozwoju osobistego, wtedy jeszcze rzadko spotykane na starym kontynencie. Dzięki tym zajęciom jeszcze lepiej przekonała się, że formalna edukacja nigdy nie jest ważniejsza od wytrwałości i wiary we własne marzenia, a – jak mówiła – „sukces osiągamy dzięki temu, czego nigdy nas nie uczono".

Coco Chanel pozostała aktywna zawodowo aż do swojej śmierci w 1971 roku. Odeszła w wieku 88 lat, a ostatnie chwile spędziła w swoim prywatnym apartamencie w hotelu Ritz. Dzięki pracowitości i niezgodzie na wybór drogi na skróty, dzięki wnikliwemu patrzeniu na rzeczywistość i twórczemu przekształcaniu wiedzy zdobywanej głównie przez doświadczenie zbudowała modowe imperium. A mimo licznych błędów i upadków zasłużyła sobie na szacunek swoich pracowników. Dla wielu ludzi była i jest nie tylko uosobieniem klasy i stylu, lecz przede wszystkim dowodem na to, że każde życiowe niepowodzenie można przekuć w sukces, jeśli pracy towarzyszą determinacja i wiara w siebie.

KALENDARIUM:

19 sierpnia 1883 – narodziny Gabrielle Chanel
1895 – śmierć matki, przeprowadzka do sierocińca
1901 – pierwsza praca jako krawcowa
1906 – nieudany występ sceniczny w Vichy

1910 – poznanie Arthura Capela
1910 – otwarcie pierwszego sklepu w Paryżu
1913 – otwarcie butiku w Deauvill
1915 – otwarcie butiku w Biarritz
1919 – Arthur Capel ginie w wypadku samochodowym
1922 – powstaje zapach Chanel No. 5
1924 – partnerem w biznesie Coco Chanel zostaje Pierre Wertheimer
1925 – Coco Chanel projektuje pierwszą „małą czarną"
1945 – przeprowadzka do Szwajcarii
1954 – powrót do Paryża z nową kolekcją ubrań
1955 – Chanel projektuje jedną ze swoich najsłynniejszych torebek znaną jako „2.55"
10 stycznia 1971 – śmierć w hotelu Ritz

CIEKAWOSTKI:

- W 1969 roku na Broadwayu wystawiono musical inspirowany życiem Coco Chanel. W rolę projektantki wcieliła się Katharine Hepburn.

- Powstały dwa filmy o jej życiu: pierwszy to *Chanel Solitaire* z (1981 r.), a drugi – *Coco before Chanel* (2009 r.).
- Chanel jest jedyną projektantką mody umieszczoną na liście stu najbardziej wpływowych ludzi XX wieku magazynu „Time".
- Grób Coco Chanel znajduje się w Lozannie.

CYTATY:

„Moda, w której nie można wyjść na ulicę, nie jest modą".

„Miej swoje obcasy, głowę i standardy – wysokie".

„Piękno zaczyna się w momencie, gdy decydujesz się być sobą".

„Moje życie mi się nie podobało, więc je zaprojektowałam".

„Sukces osiągamy dzięki temu, czego nas nigdy nie uczono".

ŹRÓDŁA I INSPIRACJE:

Justine Picardie, *Coco Chanel. Legenda i życie*, Rebis, 2012.

Vaughan Hal, *Coco Chanel. Sypiając z wrogiem*, Marginesy, 2014.

Coco Chanel Biography, http://www.lifetimetv.co.uk/biography/biography-coco-chanel.

Coco Chanel. Fashion Designer and Fashion Executive, http://womenshistory.about.com/od/chanel coco/a/coco_chanel.htm.

Coco Chanel. Rewolucjonistka mody i świata kobiet, http://projektchanel.cba.pl/?page_id=10.

Inside Chanel, http://inside.chanel.com/en/gabrielle-chanel.

✵

Giorgio Armani

(ur. 1934)

włoski projektant, założyciel modowego imperium sygnowanego własnym nazwiskiem

Niewątpliwie wielu ludzi, myśląc o modzie włoskiej, kojarzy ją z nazwiskiem Giorgia Armaniego. Jego obecna pozycja to nie dzieło przypadku, lecz efekt ciężkiej pracy i wielu lat inwestowania w siebie.

Giorgio Armani urodził się 11 czerwca 1934 roku w miejscowości Piacenza, na południe od Mediolanu. Był środkowym z trójki dzieci Marii Raimondi i Ugo Armaniego. Jego dzieciństwo przypadło na ciężki okres II wojny światowej. Traumatycznym wydarzeniem dla kilkuletniego Giorgia była śmierć jego przyjaciół w wyniku bombardowań. Jedyną odskocznią od gorzkiej wojennej rzeczywistości było kino, nazywane przez niego „miejscem marzeń". Armani spędzał całe godziny na sali kinowej, oglądając wielokrotnie znane sobie filmy, w których gwiazdy ekranu zawsze wyglądały olśniewająco. Chłopiec zakochał się w idealizowanym przez siebie świecie Hollywoodu, jeszcze nawet nie przypuszczając, że za kilka lat to on będzie ubierał aktorów występujących na dużym ekranie.

Nie tylko kinematografia była jego wielką pasją. Od najmłodszych lat przejawiał zainteresowanie anatomią. Znana jest anegdota o tym, jak kilkuletni Giorgio napełniał lalki błotem z ukrytym w środku ziarnem kawy. Zainteresowanie pchnęło go do podjęcia studiów medycznych w Mediolanie. Studia, które niewątpliwie poszerzyły jego horyzonty, nie wydały mu się jednak na tyle pasjonujące, żeby dnie i noce spędzać nad książkami, przygotowując się do ciężkich egzaminów. Z ulgą więc po trzech latach nauki zrobił sobie przerwę na odbycie obowiązkowej służby wojskowej. Nigdy więcej nie powrócił na uczelnię. Nie można jednak powiedzieć, że kilka semestrów studiów okazało się bezużyteczne. To właśnie tam Armani dowiedział się wiele o proporcjach ludzkiego ciała, co przydało mu się w późniejszej karierze projektanta. Na uniwersytecie nauczył się również ciężkiej i systematycznej pracy koniecznej nie tylko do zaliczania egzaminów, ale również do prowadzenia własnego przedsiębiorstwa.

Po zakończeniu służby wojskowej w 1955 roku Giorgio rozpoczął pracę w prestiżowym domu handlowym La Rinascente w Mediolanie. Chociaż początkowo do jego obowiązków należało jedynie dekorowanie witryn sklepowych czy pomoc fotografowi, to właśnie dzięki tej pracy zetknął się ze światem mody i mógł na żywo oglądać kreacje widywane przez niego do tej pory jedynie na kinowym ekranie. Siedem lat przepracowanych w La Rinascente okazało się niezbędne w jego dalszej karierze. To właśnie tam zdobył wiedzę związaną z przemysłem tekstylnym i projektowaniem, jak również doświadczenie w marketingu, kiedy awansowano go na sprzedawcę mody męskiej.

Armani swoje obowiązki zawsze wykonywał z należytą starannością, a jego przełożeni doceniali również jego wielką kreatywność dającą się zauważyć w proponowanych przez niego aranżacjach witryn i sesji fotograficznych, co sprawiło, że szybko dołączył jako projektant do załogi stylisty Nina Cerrutiego. Przed tym jednak odbył kilkutygodniowe szkolenie w jego fabrykach, gdzie zdobył wiedzę z zakresu produkcji oraz technik krawiectwa przemysłowego. Już wtedy myślał o założeniu własnej firmy modowej i by osiągnąć ten cel, nie stronił od projektowania również dla innych firm. Zainteresowanie jego pracami bardzo go cieszyło oraz motywowało do dalszej pracy. Rozumiał, że stroje wykonane na zamówienie słanych przedsiębiorstw odzieżowych zaowocują w przyszłości bazą klientów jego własnej firmy, co już na początku ustawi go w lepszej pozycji niż wielu jego konkurentów. Rywalizacja na rynku modowym we Włoszech – państwie, które kojarzy się przecież ze świetnej jakości konfekcją - zawsze była bardzo duża, a dodatkowym utrudnieniem dla Armaniego był też fakt, że nie pochodził, w przeciwieństwie do wielu swoich rywali, z rodziny związanej z przemysłem tekstylnym.

Marzenia o własnej firmie były jednak silniejsze niż strach przed porażką, więc na początku lat siedemdziesiątych za namową wieloletniego przyjaciela Sergia Galeottiego Giorgio Armani zdecydował się na otwarcie pierwszego biura projektowego. Już wtedy cieszył się popularnością na włoskim rynku, ponieważ od zawsze dbał, by każdy zaprojektowany przez niego garnitur wyróżniał się elegancją i niepowtarzalnym stylem. Otrzymywał wiele zleceń od najlepszych domów mody. Projektowanie dla znamienitych, ale i wymagających klientów przynosiło mu zawodową satysfakcję, szansę na podnoszenie własnych kwalifikacji oraz rozgłos nie tylko w krajowej, lecz również europejskiej prasie. Miał wszystko, czego młody projektant mógłby potrzebować przed rozpoczęciem działalności pod własnym nazwiskiem. Dzięki temu szybko, bo już w 1974 roku mógł wystartować z własną firmą i pierwszą męską kolekcją ubrań na sezon wiosna-lato. Rozpoczęcie własnej działalności, tak jak każde wielkie przedsięwzięcie, wymagało wielu poświęceń. Armani nie tylko przez wiele lat oszczędzał pieniądze z myślą o tej chwili, ale finalnie zmuszony był również sprzedać swojego ukochanego błękitnego Volkswagena.

Giorgio wcześnie poznał zasady rządzące wolnym rynkiem i doskonale rozumiał, że aby odnieść sukces w przemyśle modowym, nie wystarczy jedynie renoma marki i projektant z głową pełną doskonałych pomysłów. Przede wszystkim liczy się wszechstronność i umiejętność zaspokajania potrzeb klientów. I tak, pomimo początkowego zainteresowania jedynie modą męską, projektant zajął się innymi działami mody. Tym razem zaczął myśleć, czego mogą oczekiwać kobiety i postanowił im to zaoferować. Dlatego w 1979 roku powstała Giorgio Armani Corporation oferująca już nie tylko idealnie skrojone męskie garnitury, lecz również akcesoria dla kobiet, bieliznę czy kostiumy kąpielowe, a wraz z pojawianiem się kolejnych trendów nawet ubrania dżinsowe czy specjalną linię Emporio Armani, w której znalazły się stylowe artykuły w przystępnych cenach. Armani dbał o to, żeby wszystkie produkty oferowane przez jego firmę cechowała elegancja, unikatowość i styl – fundamenty, na których opierał swój sukces.

Po stworzeniu Emporio Armani – linii, która z racji niższych cen adresowana była już nie tylko do najbogatszych elit, lecz także do zamożniejszej klasy średniej – Armani stanął przed problemem skutecznego zareklamowania swoich towarów. Projektant po raz kolejny wykorzystał wiedzę marketingową zdobytą podczas pracy w La Rinascente i jego firma jako jedna z pierwszych postawiła na spoty emitowane w telewizji oraz gazetki reklamowe wysyłane wprost do potencjalnych klientów. Niezbędnego rozgłosu dostarczyło również zaprojektowanie strojów, w których Richard Gere pojawił się w filmie *Amerykański żigolak*. Tym wydarzeniem Armani spełnił również swoje wielkie marzenie jakim była praca dla branży filmowej. Wieloletni związek z Hollywood zaowocował zaprojektowaniem kostiumów do ponad stu filmów, w tym do tak znanych tytułów jak *Batman*, *Marsjanie atakują* czy *Pulp Fiction*.

Przyglądając się sylwetce projektanta, nie sposób nie zgodzić się, że jest on przykładem idealnego biznesmena – człowieka, który z jednej strony posiada wiedzę teoretyczną z zakresu zarządzania i marketingu niezbędną do prowadzenia rentownego przedsiębiorstwa, a z drugiej nigdy nie zatracił swoich artystycznych aspiracji, dzięki czemu każda jego kolekcja jest nie tylko ważnym wydarzeniem w świecie mody, lecz również zyskownym przedsięwzięciem. Na szczególny szacunek i podziw zasługuje odwaga, którą wykazał się, rezygnując ze stabilnego zawodu lekarza na rzecz niepewnej kariery w świecie mody. Armani szybko zrozumiał, że nie warto podążać raz obraną ścieżką, jeśli nie daje ona satysfakcji i spełnienia. Ciężko uwierzyć, że człowiek ten nigdy nie skończył studiów marketingowych, a wszystko, do czego doszedł, zawdzięcza wierze w sukces, własnej ciężkiej pracy oraz nauce od podstaw jedynie (albo aż) przez doświadczenie.

KALENDARIUM:

11 czerwca1934 – narodziny Giorgia Armaniego

1951 – rozpoczęcie studiów medycznych na uniwersytecie w Mediolanie

1953 – przerwanie studiów i obowiązkowa służba wojskowa

1955 – praca w domu handlowym La Rinascente

1962 – rozpoczęcie pracy u Nina Cerrutiego

1973 – otwarcie własnego biura projektowego

1975 – rozpoczęcie pracy pod własnym nazwiskiem

1979 – powstanie Giorgio Armani Corporation

1980 – zaprojektowanie kostiumów do filmu *Amerykański żigolak*; początek współpracy z Hollywood

1981 – powstaje pierwszy sklep Emporio Armani w Mediolanie

1985 – śmierć przyjaciela i partnera w biznesie Sergia Galeottiego

1989 – otwarcie pierwszej restauracji sygnowanej nazwiskiem Armaniego

1997 – otwarcie dwóch butików Emporio Armani w Nowym Jorku

1998 – otwarcie pierwszego sklepu w Chinach
2005 – debiut pierwszej limitowanej kolekcji haute couture
2010 – otwarcie pierwszego hotelu sygnowanego nazwiskiem Armaniego w Dubaju

CIEKAWOSTKI:

- Giorgio Armani dwa razy zaprojektował stroje dla angielskiej drużyny narodowej w piłce nożnej.
- Armani zaprojektował kostiumy do ponad 100 hollywoodzkich filmów, między innymi: *Ocean's 13*, *Bękarty wojny*, *Wilk z Wall Street*.
- Armani był pierwszym projektantem, który w swoich pokazach mody nie pozwolił brać udziału modelkom o indeksie masy ciała (BMI) niższym niż 18.
- Jeden z najsłynniejszych projektów Armaniego, tak zwany bomber jacket był wzorowany na kurtkach pilotów z czasów pierwszej wojny światowej.

- Obecnie Armani jest jedynym udziałowcem swojej firmy.
- Giorgio Armani wciąż mieszka w Mediolanie.

CYTATY:

„Elegancja nie polega na byciu zauważonym, lecz zapamiętanym".

„Dzięki pracy wciąż czuję się młody".

„Różnica między stylem a modą to jakość".

ŹRÓDŁA I INSPIRACJE:

John Potvin, *Giorgio Armani: empire of senses*, Ashgate Publishing, 2013.

Giorgio Armani Biography, Biography, http://www.biography.com/people/giorgio-armani-9188652.

Lauren Cochrane, *Giorgio Armani at 80: eight things you didn't know about the fashion designer*, „The

Guardian", https://www.theguardian.com/fashion/fashion-blog/2014/jul/10/giorgio-armani-80-eight-facts-fashion-designer.

Michał Kędziora, *Giorgio Armani. Człowiek, który odformalizował garnitur*, http://mrvintage.pl/2014/06/giorgio-armani-czlowiek-ktory-zdeformalizowal-garnitur.html.

Tomasz Bata

(1876-1932)

czeski przedsiębiorca branży obuwniczej, twórca marki Bata

Jako 18-latek wraz z dwójką rodzeństwa założył manufakturę obuwniczą, która dała początek największemu koncernowi w historii przemysłu obuwniczego. Zaczęli od zatrudnienia trzech szewców w zakładzie w Zlinie na czeskich Morawach, aby po kilkudziesięciu latach zatrudniać blisko 50 000 pracowników w 50 krajach. Tomasz Bata stworzył też w latach 20. naszego stulecia całkowicie przez siebie kontrolowane miasto robotników, wyprzedzając wizje angielskiego pisarza Georga Orwella.

Tomasz Bata był synem czeskiego szewca, który dwa razy żenił się z wdowami, czego owocem było aż jedenaścioro rodzeństwa Tomasza. Rodzina Batów zajmowała się szewstwem od ośmiu pokoleń. Tomasz jako mały chłopiec obserwował, jak ojciec ciężko pracuje w swoim zakładzie, samodzielnie robiąc i naprawiając buty. Już wtedy czuł, że przyszłość produkcji butów musi wyglądać inaczej. Jako 14-latek w 1890 roku opuścił rodzinny dom, aby uczyć się i pracować w zakładach Faber produkujących maszyny szewskie. Do domu w Zlinie wrócił po czterech latach. Postanowił z dwójką rodzeństwa Anną i Antoninem otworzyć manufakturę. Za pieniądze, jakie dostali w spadku po matce, wynajęli pomieszczenia i zatrudnili trzech szewców. Niestety, po roku stanęli na skraju bankructwa. Nie mieli pieniędzy na zakup materiałów do produkcji. Antonin poszedł do wojska, a Anna wyjechała do Wiednia, by pracować jako służąca. Na miejscu pozostał samotnie Tomasz. Nie poddał się jednak. Zastanawiał się, jak może wykorzystać sytuację, w jakiej się znalazł. Wtedy sformułował najważniejszą zasadę w swoim życiu: „Z wady zawsze można zrobić zaletę". Rozpoczął produkcję płóciennych butów. Płótno było tanie i ogólnodostępne, więc zdecydował, że z resztek drogiej skóry będą tylko podeszwy. Tak w 1895 roku powstały słynne „batiowki", będące hitem przez kilka następnych dekad.

Dzięki produkcji płóciennych butów otworzył swoją pierwszą fabryczkę. Na 200 metrach kwadratowych pracowało 50 osób. Tomasz był wizjonerem i wiedział, że mimo chwilowej poprawy rentowności firma potrzebowała zupełnie nowego podejścia do organizacji pracy i metod wytwarzania obuwia. Zdecydował się na odważny i sprytny krok. W 1904 roku wyjechał do Stanów Zjednoczonych, by uczyć się nowych metod zarządzania produkcją. Wraz z trzema współpracownikami zatrudnił się w mieście Lynn w stanie Massachusetts w różnych zakładach produkujących obuwie, aby podpatrywać i uczyć się, „jak pracują w USA". W każdą sobotę, po tygodniu pracy, „szpiedzy z Czech" spotykali się, aby omówić swoje obserwacje. Wyciągali wnioski i zastanawiali się, jak zastosować w swojej firmie to, czego się nauczyli. Bata zafascynowany był przedsiębiorczością i pomysłowością Amerykanów, którzy potrafili wykorzystywać wszelkie nowości w swoich firmach. Uczył się postępować podobnie.

Będąc w USA, usłyszał o istnieniu zakładów Henry'ego Forda. Zainteresował się wprowadzoną w nich rewolucyjną zmianą – podziałem produkcji na etapy. Pracownik przez cały dzień wykonywał jedną, doprowadzoną do perfekcji czynność. Przyjrzał się temu dokładnie, żeby wiedzieć, jak to się robi. System wdrożony u Forda znacznie zwiększał wydajność pracy, a więc obniżał koszty wytwarzania, a tym samym pozwalał na obniżenie cen gotowego produktu.

W 1905 roku Bata wrócił do kraju z dużo większą wiedzą praktyczną, zwłaszcza w dziedzinie organizacji pracy. Był zafascynowany „amerykańskim tempem". Postanowił zastosować w swoich zakładach praktyczną wiedzę zdobytą w Stanach. Kupił amerykańskie i niemieckie maszyny szewskie. Jego zakłady w Zlinie zaczęły produkować 2200 par butów na dobę i nadal się rozbudowywały. W latach 1905-1911 Bata wysyłał swoje buty do Niemiec, na Bałkany, a nawet do Azji! Firma zatrudniała 600 osób.

Tomasz zdawał sobie sprawę, jak ważna jest wewnętrzna motywacja pracowników. Doskonale rozumiał, że robotnik nie jest „przedłużeniem maszyny". Powinien się rozwijać i być zadowolony, bo tylko wtedy będzie zmotywowany do pracy, co przełoży się na sukces firmy. To było nowoczesne myślenie. Podzielało je w tym czasie niewielu przedsiębiorców. Jego polityka wobec załogi okazała się słuszna. Dzięki wprowadzonym pomysłom w wydajności przegonił już Amerykanów i Francuzów. Pierwsi produkowali parę butów w siedem godzin, drudzy w sześć, a w zakładach Baty buty powstawały zaledwie w 4 godziny! To był prawdziwy postęp.

W 1914 roku wybucha wojna i pracownicy Baty mieli iść do wojska. Tomasz był zdruzgotany. Groziło mu widmo zamknięcia firmy. Pojechał więc do Wiednia, aby osobiście interweniować w stolicy. Wieloletnia praca z ludźmi i pozyskiwanie kolejnych kontraktów nauczyło go prowadzenia negocjacji. Teraz wykorzystał tę umiejętność. Dzięki swojej determinacji i pomysłowości z rozmów na dworze wrócił z zamówieniem na pół miliona par butów dla armii i zapewnieniem, że jego ludzie nie będą wcieleni do wojska! Ogromne, wojskowe zamówienie wymagało zatrudnienia większej liczby szewców. W ten sposób uratował wielu ludzi przed pójściem na wojnę. W tym okresie pracowało u niego 5000 robotników, którzy produkowali 10 000 par butów na dobę. 3 lata później, w 1917 roku z taśm zakładów Baty zeszło 2 miliony par butów. Gdy po wojnie powstała Czechosłowacja, Bata utworzył oddziały swojej firmy w prawie każdym miasteczku w Czechach, na Morawach, Śląsku i Słowacji. W ten sposób zlikwidował indywidualne zakłady szewskie w kraju. Szycie butów na miarę przeszło do historii – dla wielu szewców pracujących w swoich małych, przestarzałych warsztatach oznaczało to zamknięcie interesu, bankructwo, a czasem nawet osobiste tragedie.

Życie osobiste Bata także podporządkował swoim celom, pomijając uczucia. Jego planem było posiadanie potomka, więc gdy okazało się, że jego narzeczona nie może mieć dzieci, zerwał zaręczyny. Podpisując umowę z kolejną wybranką serca Manią Mancikową, córką kustosza Cesarskiej Biblioteki w Wiedniu, zagwarantował sobie prawo do rozwodu, jeśli okaże się, że nie będą mogli mieć dzieci. Dobra strona jego natury nakazała mu jednak zbudować w Zlinie dwór dla żony, aby czuła się jak w domu rodzinnym w Wiedniu. Przez dwa lata Mania nie mogła zajść w ciążę. Żyła w coraz większym stresie. Nie dawała sobie rady z presją męża oczekującego potomka. Na szczęście w 1914 roku na świat przyszedł upragniony syn Tomasza – Tomik.

W kolejnych latach Bata, ucząc się na swoich doświadczeniach, ulepszał system produkcji przy taśmie. Stawiał na efektywność. Jeśli któryś z pracowników nie nadążał z pracą, nad jego stanowiskiem zapalała się czerwona lampka. Był to sygnał, że na tym etapie produkcji trzeba coś usprawnić. Na każdy dzień ustalane były normy do wykonania. Nie liczył się czas pracy, tylko wydajność. Lepiej zarabiali ci, którzy sprawniej i szybciej pracowali. Dzień pracy u Baty nie trwał 8 godzin, lecz 10. Pracownicy przebywali w firmie od 7.00 do 17.00, ale mieli dwie godziny przerwy od 12.00 do 14.00. To był czas na obiad (praktycznie sponsorowany przez firmę) oraz na lekturę, grę w szachy („bo trzeba myśleć"), a nawet na obejrzenie filmu w przyfabrycznej świetlicy! Wolniejsi pracownicy mogli w tym czasie nadgonić robotę... Bata był typem nowoczesnego właściciela, zawsze pozostawał do dyspozycji pracowników. Drzwi jego skromnie urządzonego gabinetu oznaczone były wizytówką „Szef". Do legendy przeszły wymyślane przez niego hasła, które pojawiały się na ścianach fabryki. Miały dawać do myślenia i mobilizować do pracy: „Ludzie – myśleć, maszyny – harować", „Dzień ma 86 400 sekund" (to à propos wydajności), „Ludzi się nie bójmy, siebie się bójmy", „Nie czytajcie rosyjskich powieści, bo zabijają radość życia".

Gdy w 1922 roku Europa tonęła w kryzysie gospodarczym, Bata po raz kolejny musiał ratować swoje fabryki. Jak wielokrotnie wcześniej, tak i tym razem zdecydował się na bardzo odważny i bezprecedensowy krok: obniżył ceny obuwia o połowę! Dzięki temu ruchowi w trzy miesiące sprzedał całą produkcję zalegającą w magazynach. Ale to jeszcze nie ratowało firmy. O 40% obniżył więc pensje, ale nie musiał nikogo zwalniać. Za sprzedane buty kupił surowce i kontynuował produkcję. Korona umacniała się, więc Bata za te same pieniądze mógł kupić trzy razy tyle materiałów, co dawniej. Dzięki temu genialnemu posunięciu firma wyszła bez szwanku z kryzysu. Rok później Bata zatrudnił kolejne 2000 osób. Znowu zaowocowało jego nowatorskie myślenie, dla niego trudności były inspiracją, a doświadczenia – nauką.

Bata poświęcił całe swoje życie firmie. Nie wyobrażał sobie, aby ktoś pracujący u niego mógł mieć inne priorytety niż praca. A może jednak zdawał sobie sprawę, że ktoś może myśleć inaczej? Być może ta myśl legła u źródeł nowej inicjatywy: znalezienia i wychowania idealnych pracowników. Być może dlatego w 1925 roku powstała Akademia Handlowa Baty przygotowująca managerów do pracy w jego firmie. Bata, mimo że sam ukończył jedynie szkołę podstawową, wiedział jak ogromną rolę w pracy na każdym stanowisku odgrywa edukacja i umiejętność logicznego myślenia.

W 1929 roku Tomasz Bata kupił 4 samoloty. Zbudował lotnisko. Marzył nawet o produkcji samolotów o nazwie Zlin. Niestety, sam padł ofiarą swojej nowej pasji. W 1932 roku, pilotując samolot we mgle, uderzył w komin jednej z fabryk i zginął. Po jego śmierci firmę przejął jego brat Jan A. Bata, który ją rozwinął. Dziś Bata to marka globalna działająca na 5 kontynentach, obsługująca milion klientów dziennie.

Tomasz Bata był barwną osobowością. Jego współpracownicy podkreślali, że posiadał niewyczerpane wręcz pokłady energii. Cały dzień zasypywał ludzi swoimi pomysłami i nowymi zadaniami. Z uporem dążył do założonych celów. Wiedział, że podstawą przedsiębiorstwa jest człowiek i od niego zależy sukces firmy. I chociaż jako szef wymagał całkowitego posłuszeństwa wręcz

„zadedykowania życia" firmie, w zamian dawał pracownikom wszystko, co według niego było im potrzebne do odczuwania zadowolenia z życia i satysfakcji z pracy. Wokół swojej fabryki w Zlinie stworzył pierwsze (całkowicie kontrolowane przez siebie) miasto robotników. Zbudował dla nich domy, świetlice, kręgielnie, szkoły, szpital, sklepy, a nawet największe w Europie Środkowej kino. Wyprzedził swoją epokę, tworząc nowy system zarządzania ludźmi oraz produkcją i zbytem. Wykorzystując zdobywaną przy każdej okazji wiedzę i doświadczenie, postawił na zdecentralizowany system, w którym sklepy i fabryki były pod względem ekonomiczno-finansowym półautonomicznymi firmami. Pracownicy czuli się ich współwłaścicielami, dzięki czemu pracowali wydajnie. Zorganizował sprawny przepływ informacji między placówkami handlowymi a fabrykami, co umożliwiało weryfikację zapotrzebowania i powodowało zwiększenie sprzedaży. Dzięki tym działaniom o całe lata świetlne wyprzedził konkurencję. Bata nie miał wykształcenia, ale umiał wykorzystywać wiedzę i doświadczenie, jakie zdobył, prowadząc biznes. Gdy dołożymy do tego odwagę i niesamowitą intuicję, które poprowadziły go do sukcesów w kluczowych momentach życia, zobaczymy samouka, który przeszedł drogę od młodzieńca prowadzącego trzyosobową manufakturę szewską do najpotężniejszego w swoich czasach przedsiębiorcy w branży obuwniczej. Pomyślmy o nim, gdy przymierzać będziemy buty w salonie z charakterystycznymi, czerwonymi literami w logo.

KALENDARIUM:

3 kwietnia 1876 – narodziny Tomasza Baty

1894 – wraz z siostra Anną i bratem Antoninem zakładają manufakturę szewską, zatrudniają trzy osoby

1895 – firma staje na skraju bankructwa; Tomasz wymyśla tanie, płócienne buty, tzw. batiowki, które stają się hitem sprzedażowym; w nowej fabryce pracuje już 50 robotników

1904 – Tomasz wraz z trzema pracownikami wyjeżdża na rok do USA, aby poznać amerykańskie fabryki produkujące obuwie; Czesi zatrudniają się w trzech różnych fabrykach

1905-1911 – Bata kupuje nowe maszyny z USA i Niemiec, rozbudowuje firmę, wdraża nowy system produkcji taśmowej, stawiając na wydajność; swoje buty wysyła do Niemiec, na Bałkany i do Azji

1912 – ślub z Manią Mancikową, córką kustosza Biblioteki Cesarskiej w Wiedniu

1914 – narodziny syna – Tomika

1914 – wybuch I wojny światowej, wszyscy pracownicy Baty mają iść do wojska; Tomasz jedzie do Wiednia, aby ratować firmę; wraca z zamówieniem na pół miliona par butów dla armii i zapewnieniem, że jego robotnicy nie pójdą na wojnę

1917 – firma zatrudnia 5000 osób, a z taśm zakładów schodzą 2 mln par butów rocznie; Bata tworzy społeczność robotników wokół swojej firmy, buduje dla nich domy, świetlice i szpitale; w Zlinie powstaje największe w Europie środkowej kino

1922 – kryzys gospodarczy w Europie trwa; Bata znowu musi ratować swoje zakłady; obniża o 40% pensje robotników i o 50% ceny butów w sklepach; za uwolnioną w ten sposób gotówkę bardzo korzystnie kupuje surowce do produkcji, przez co firma odzyskuje płynność finansową

1923 – Tomasz Bata zostaje starostą Zlina i wprowadza zakaz picia alkoholu; miasto ma największe spożycie... mleka w kraju oraz najwyższy odsetek liczby aut przypadających na mieszkańca – 1 samochód na 35 osób

1925 – powstaje Akademia Handlowa Baty przygotowująca do pracy w jego firmie managerów

1929 – Tomasz przeżywa fascynację lotnictwem, kupuje 4 samoloty, myśli o produkcji czeskiego samolotu o nazwie Zlin

12 lipca 1932 – ginie w katastrofie samolotowej niedaleko Zlina – we mgle uderza w komin jednej z fabryk; władzę w firmie przejmuje jego przyrodni brat Jan A. Bata

CIEKAWOSTKI:

- Tomasza Batę nazywano Henrym Fordem Europy, gdyż tak jak Amerykanin był prekursorem nowego podejścia do produkcji masowej. Po co uczyć jednego pracownika stu czynności, skoro można pokazać stu osobom, jak wykonywać perfekcyjnie jedną? To był początek nowoczesnej produkcji na taśmie, która z jednej strony dała ogromne przyśpieszenie w rozwoju zakładom Baty, a z drugiej doprowadziła do upadku cały rozporoszony przemysł szewski w Czechach.
- Sukces zakładów Baty oznaczał niestety ogromne kłopoty dla małych zakładów szewskich. Po prostu przestały one istnieć w tym regionie. Głośna była sprawa samobójstwa jednego z szewców z Ostrawy, który wraz z żoną i dwójką dzieci rzucił się z mostu, wcześniej odsyłając Bacie swoje narzędzia. Na pomysłowym szewcu ze Zlina nie zrobiło to ponoć większego wrażenia…
- W 1923 roku Bata został starostą Zlina. Wprowa-

dził zakaz spożywania alkoholu na terenie miasta. Zlin miał najwyższe spożycie mleka w kraju i najwyższy wskaźnik zmotoryzowania – jeden samochód przypadał na 35 mieszkańców.

- Ojciec wychowywał syna twardą ręką. Chciał, żeby podobnie jak on znał wartość pracy, nie tylko pieniądza. Po okresie nauki, także za granicą, Tomik wrócił do Zlina i rozpoczął pracę jako robotnik z najniższą pensją. Chłopiec przeszedł kolejne szczeble kariery i w wieku 17 lat został szefem dużego salonu obuwniczego w Zurychu. Po powrocie do Zlina pokłócił się z ojcem i chciał odejść do konkurencji. Napisał nawet list do firmy Endicott Johnson z prośbą o zatrudnienie, ale nie wysłał go. List syna znalazł Tomasz Bata i… się ucieszył. Dla niego to był dowód, że jego syn da sobie radę w życiu!
- Tomasz Bata był surowym ojcem dla swojego jedynaka Tomika. Mimo wielkiego majątku, jakim dysponował, nakazał swojemu 6-letniemu synowi chodzić do szkoły na bosaka, aby nie wyróżniał się spośród rówieśników. Gdy jadąc samochodem z rodzicami do

Brna, 10-letni Tomik zgubił dwukrotnie czapkę z głowy, ojciec wyrzucił go z samochodu i kazał jechać pociągiem.

- Bata utworzył akademię handlową kształcącą przyszłych pracowników. Trafiali do niej chłopcy w wieku 14 lat. Przez 8 godzin dziennie pracowali, a przez 4 uczyli się. Mieszkali w internacie. Ich wydatki były ściśle kontrolowane przez opiekunów. Wszystko było zorganizowane tak, aby po ukończeniu 24 lat, po powrocie z wojska do fabryki, młody mężczyzna, tzw. bataman, miał na koncie 100 000 koron. Mógł wtedy myśleć o wejściu w dorosłe życie, założeniu rodziny i związaniu oczywiście swojego losu z firmą Bata. Batamanami byli między innymi: słynny czeski biegacz Emil Zatopek, pisarz Ludwik Vaculik, reżyser Karel Kachynia.

CYTATY:

„W swej pracy nie mam na myśli tylko budowania fabryk, ale ludzi. Buduję przecież człowieka".

„Z wady zawsze można zrobić zaletę" (tak powstał pomysł na płócienne buty, tzw. „batiowki").

„Rzeczywistości nie można ulegać, należy ją umiejętnie wykorzystać do swoich celów".

„Największa kanalia w rodzinie kradnie jednak mniej niż najuczciwszy obcy" (to o przyrodnim bracie Janie A. Bacie, któremu zostawił w spadku cała firmę).

ŹRÓDŁA I INSPIRACJE:

Strona domowa koncernu Bata: http://bata.com.

Przedziwna historia butów Bata, http://wiedzanieboli.blogspot.com/2009/12/przedziwna-historia-butow-bata.html.

Tomasz Bata. Najsłynniejszy szewc świata, Onet.pl, http://biznes.onet.pl/wiadomosci/swiat/tomas-bata-najslynniejszy-szewc-swiata/df727.

Mariusz Szczygieł, *Gottland*, Wydawnictwo Czarne, 2006.

Thomas John Bata. Czech-born shoe manufacturer, Encyclopaedia Britannica, http://www.britannica.com/biography/Thomas-John-Bata.

Yves Rocher

(1930-2009)

francuski przemysłowiec i polityk lokalny, założyciel koncernu kosmetycznego Yves Rocher produkującego kosmetyki na bazie składników naturalnych

Rozpoczynał od samodzielnej produkcji kremu na hemoroidy na strychu swojego rodzinnego domu. Absolwent szkoły podstawowej o bardzo wątłym zdrowiu przez 5 dekad stworzył jeden z największych koncernów kosmetycznych na świecie, posiadający 40 milionów klientów i przynoszący roczny zyskiem 2 miliardów euro. Przeszedł tę drogę dzięki poszukiwaniu nowych rozwiązań i ciągłej samodzielnej nauce. Miłośnik botaniki i… kobiecej urody. Wykorzystuje rośliny, by podkreślać i jak pielęgnować kobiece piękno. Mawiał: „Dzięki naszym produktom każda kobieta ma się czuć jak królowa". W produkcji naturalnych kosmetyków widział nie tylko biznes, ale przede wszystkim powrót do natury i mądre korzystanie z tego, co dała nam matka Ziemia.

Yves Rocher urodził się w malutkiej miejscowości La Gacilly w Bretanii. Jego ojciec szył kapelusze. Rodzinie nie powodziło się najlepiej i chłopiec od najmłodszych lat pomagał ojcu w zakładzie. Po ukończeniu szkoły podstawowej rozpoczął naukę w szkole średniej w pobliskim Redon, lecz po roku musiał zrezygnować. Opuszczał bowiem mnóstwo zajęć z powodu ciągłych przeziębień, a braki były zbyt duże, by można je było nadrobić. Konieczność przerwania nauki to był pierwszy cios od życia. Drugi cios przyjął w wieku 14 lat , gdy umarł jego ojciec. Yves zmuszony był do przejęcia obowiązków szefa firmy, którą prowadził wraz z mamą. Wywiązywał się z nich poprawnie, jednak prowadzenie zakładu kapeluszniczego oraz handel tkaninami nie okazały się jego pasją. Praca polegała między innymi na chodzeniu od domu do domu i namawianiu klientów na zakup towarów. Yves czuł, że nie odnajduje się w tym zajęciu. Jego prawdziwą pasją była botanika.

Pasja ta zaczęła się przypadkowo, gdy Yves trafił na stary zielnik swojego dziadka. Zafascynowany światem roślin potrafił godzinami siedzieć nad książkami przyrodniczymi albo chodzić po okolicznych polach i łąkach w poszukiwaniu ciekawych okazów. W pewnym momencie musiał sobie odpowiedzieć na pytanie, w jaki sposób może ze swej pasji uczynić źródło zarobków. Z pomocą przyszedł mu jego ojciec chrzestny, lekarz Joseph Pierre Ricud, który interesował się zielarstwem. Doktor pokazał mu, jak można wykorzystać rośliny w leczeniu różnych przypadłości. Drugim sprzymierzeńcem Yvesa okazał się miejscowy zielarz, od którego dostał przepis na maść wykonaną na bazie nagietka, która przyśpieszała gojenie ran i leczenie blizn.

Yves Rocher był wielkim miłośnikiem urody kobiet. Wiedział, że jak najdłużej chcą wyglądać młodo i pięknie. Wtedy przyszedł moment olśnienia: a gdyby tak produkować i sprzedawać naturalne kremy dla kobiet?! Na strychu swojego domu rozpoczął swoje kilkuletnie eksperymenty z maściami i kremami dla pań. Była to żmudna praca, lecz dla Yvesa fascynująca. Miał poczucie misji. Po pierwsze był jednym z nielicznych producentów, którzy pracowali nad naturalnymi kosmetykami. Wtedy kosmetyki tworzono syntetycznie z użyciem związków chemicznych, więc były bardzo drogie i niedostępne dla kobiet o mniej zasobnych portfelach. I to był drugi punkt misji Rochera: stworzyć niedrogie kosmetyki dostępne dla wszystkich! Po trzech latach doświadczeń, prób, eksperymentów i samodzielnego uczenia się od podstaw nowego zawodu w 1959 roku Yves rozpoczął sprzedaż swojego pierwszego kremu. Zaczął w swojej rodzinnej wsi i najbliższej okolicy, zyskując tam wielką popularność. Później podjął odważną decyzję o rozszerzeniu obszaru działania. Potrzebował jakiegoś niedrogiego sposobu na dystrybucję swoich produktów. Nie miał pieniędzy na uruchomienie sklepów lub zatrudnienie przedstawicieli, dlatego zdecydował się pójść inną, innowacyjną w tamtych czasach drogą. Postanowił, że jego krem dostępny będzie tylko i wyłącznie na zamówienie. Stworzył własny dom wysyłkowy. Reklamował się w prasie, a zainteresowane panie zamawiały kosmetyki, które następnie dostarczano im pocztą.

Biznes kręcił się znakomicie dzięki kolejnemu nietypowemu pomysłowi Yvesa: w 1965 roku wydał on cieszącą się wielką popularnością *Zieloną księgę piękna*, w której opisywał lecznicze i kosmetyczne działanie roślin, lansując modę na naturalne kosmetyki. Książka ta stała się katalogiem firmy Yves Rocher. Przetłumaczono ją do tej pory na 20 języków (i zapisano alfabetem Braille'a). Przyniosła francuskiemu przedsiębiorcy wielką popularność i otworzyła drzwi na europejskie rynki. Najpierw jednak Yves w 1969 roku uruchomił w Paryżu swój pierwszy sklep. Zdecydował się na ten krok po 10 latach od rozpoczęcia produkcji, bo jako perfekcjonista potrzebował czasu na dokładne przygotowanie każdego przedsięwzięcia. Innym powodem zwlekania z uruchomieniem sprzedaży stacjonarnej był fakt, że firma oparta na sprzedaży wysyłkowej bardzo dobrze prosperowała. Yves wiedział jednak, że „kto się nie rozwija, ten stoi w miejscu". Intuicja i doświadczenie zdobyte przez dekadę obecności na rynku podpowiedziały mu, że należy pójść dalej. Na początku lat 70. rozpoczął ekspansję w Europie, a później na całym świecie. Dziś jego sklepy można znaleźć w 88 krajach na pięciu kontynentach. Szacuje się, że firma ma rocznie około 40 milionów klientów i co rok przynosi zysk na poziomie 2 miliardów euro.

Mimo prowadzenia działalności na wielką skalę Yves Rocher zawsze pamiętał, skąd się wywodzi. Ukochał swoją małą ojczyznę Bretanię, a przede wszystkim wioskę La Gacilly, w której się urodził. Bardzo bolało go to, że w drugiej połowie XX wieku małe miejscowości pustoszały, bo ludzie chcieli mieszkać w dużych ośrodkach miejskich. Postanowił zatrzymać w swojej miejscowości ten trend i rozpoczął walkę na dwóch frontach: gospodarczym oraz politycznym. Obiecał mieszkańcom i sobie, że „pewnego dnia La Gacilly będzie znana w całej Francji" i dotrzymał słowa. W swojej rodzinnej wsi uruchomił fabrykę kosmetyków i dał zatrudnienie wielu okolicznym mieszkańcom zarówno przy produkcji, jak i przy uprawie roślin potrzebnych do tworzenia kosmetyków. Na kilkudziesięciu hektarach uprawia się tam ponad tysiąc gatunków roślin służących do produkcji kremów Yves Rocher. Przez 46 lat (1962-2008) był burmistrzem, który dbał o rozwój tego regionu. Ściągał inwestorów z całej Francji, skutecznie rozpropagował również turystyczne walory tej części Bretanii. Pod jego rządami ludność La Gacilly podwoiła się! Mimo swoich sukcesów biznesowych i politycznych Yves Rocher pozostał skromnym człowiekiem.

Był przy tym bardzo rodzinny. To właśnie od najbliższych czerpał inspirację i siły do podejmowania kolejnych wyzwań. Całe życie spędził z żoną Edith, z którą miał piątkę dzieci: dwie córki i trzech synów. Najstarszy syn Didier zginął tragicznie w 1994 roku w wyniku postrzelenia w niejasnych okolicznościach. Obecnie grupą

Yves Rocher zarządza 31-letni wnuk Yves'a Bris (syn zmarłego Didier). Synowie Jacques i Daniel również pracują w firmie założonej przez ojca. Zgodnie z koncepcją założyciela koncern Yves Rocher do dziś pozostał firmą rodzinną. Aż 97 procent udziałów w firmie należy do najbliższych. Yves był konsekwentnie przeciwny wejściu na giełdę, nie chciał bowiem, aby obcy inwestorzy mieli wpływ na kluczowe decyzje dotyczące przyszłości koncernu. Ta chęć posiada kontroli nad wszystkimi aspektami działania firmy oraz perfekcjonizm Yves'a objawiły się w decyzji niedopuszczenia firm zewnętrznych do procesu produkcji kosmetyków. Wszystko od A do Z robione jest i kontrolowane w zakładach Yves Rocher. Ma to pozytywny wpływ na dobrą jakość produktu jak i cenę.

Yves dzięki doświadczeniu oraz intuicji bardzo dobrze rozumiał swoje klientki. Wiedział, czego oczekują i zawsze im to dawał. Nie nauczył się tego w żadnej szkole. Od 14 roku życia samodzielnie rozwijał najpierw sklep odzieżowy po ojcu, a później swoją firmę kosmetyczną. Ciężka, wieloletnia praca nie była katorgą, ponieważ miał silne poczucie, że to, co robi, jest słuszne i dobre zarówno dla jego klientek, jak i dla środowiska naturalnego, z którym jako botanik amator był bardzo mocno związany. To pasja i poczucie misji wsparte ciągłą nauką zaprowadziły go na sam szczyt świata biznesu. Z tego szczytu oglądał zielone pola, błękitne wstążki rzek, słyszał szumiące drzewa i widział ludzi żyjących i pracujących, tak jak on, zgodnie z rytmem natury. Pokazał, że przemysł może współistnieć w zgodzie ze środowiskiem naturalnym, a gdy będziemy mądrze gospodarować zasobami naturalnymi, Ziemia będzie naszym sprzymierzeńcem.

KALENDARIUM:

7 kwietnia 1930 – narodziny Yves'a Rocher w La Gacilly w Bretanii

1941 – Yves kończy szkołę podstawową

1944 – umiera ojciec Yves'a Józef z powodu powikłań po grypie, a rodzinny biznes (sklep z kapeluszami i tekstyliami) przejmuje 14-letni Yves

1947 – Yves tworzy swój warsztat odzieżowy i rozwija sprzedaż w sklepie z kapeluszami

1959 – Yves zakłada swoje laboratorium na strychu rodzinnego domu, gdzie pracuje nad udoskonaleniem przepisu na krem na hemoroidy, jaki dostał od lokalnego zielarza

1960 – uruchamia sprzedaż wysyłkową swojego pierwszego kremu bazującego na naturalnych składnikach

1962 – zostaje wybrany na burmistrza La Gacilly; tę funkcję pełni nieprzerwanie przez 46 lat, do 2008 r.

1965 – wydaje *Zieloną Księgę Piękna* (katalog firmy Ives Rocher), która zdobywa popularność w całej Europie

1969 – uruchamia pierwszy sklep stacjonarny w Paryżu

1970 – otwiera sklep w Belgi, a w kolejnych latach placówki w większości państw Europy Zachodniej

1990 – kolejne międzynarodowe otwarcia: Azja, Europa Wschodnia, Ameryka Łacińska

1991 – utworzenie Fundacji Yves'a Rocher zajmującej się ekologią; prezesem zostaje jego syn Jacques

1994 – w tragicznym wypadku na strzelnicy ginie najstarszy syn Yves'a Didier, pełniący w tym czasie funkcję dyrektora zarządzającego koncernem; Yves musi wracać do pracy z emerytury, na którą odszedł kilka lat wcześniej

1998 – Yves Rocher tworzy w La Gacilly Vegetarium – muzeum botaniki współpracujące z Muzeum Historii Naturalnej

26 grudnia 2009 – Yves Rocher umiera z powodu udaru; dyrektorem zarządzającym całą grupą firm Rocher zostaje jego wnuk Bris, syn zmarłego tragicznie Didier

CIEKAWOSTKI:

- Wszystkie produkty Yves Rocher tworzone są na bazie roślin. W ogrodzie botanicznym w siedzibie firmy w La Gacilly uprawianych jest ponad 1100 gatunków roślin, z których produkowane są kosmetyki. By podkreślić swój związek z naturą, w 1998 roku w La Gecilly Yves Rocher otworzył muzeum botaniki o nazwie Vegetarium. Przy tym przedsięwzięciu współpracował z Muzeum Historii Naturalnej.

- Pozostawienie kolejnym pokoleniom Ziemi w takim stanie, w jakim ją otrzymaliśmy, było zawsze nadrzędnym celem Yves'a Rocher. Postępując zgodnie z tą filozofią, założył w 1991 roku fundację mającą na celu ochronę przyrody. Jej honorowym prezesem został Jacques Rocher, syn założyciela marki. Jedną z kluczowych akcji prowadzonych przez Fundację Yves'a Rocher jest konkurs nagradzający inicjatywy kobiet, dla których ekologia to ważny element życia i które podejmują działania mające na celu ochronę środowiska. Nagrody otrzymało do tej pory ponad 300 kobiet z ponad 50 krajów na świecie.

CYTATY:

„Naszą zasługą nie jest to, że odkryliśmy lecznicze właściwości roślin, lecz to, że udostępniliśmy je wszystkim".

„Tradycja jest światłem, które nas prowadzi, a nauka narzędziem, z którego korzystamy".

„Rośliny nigdy nie zawiodły zaufania, jakie w nich pokładaliśmy".

ŹRÓDŁA I INSPIRACJE:

Yves Rocher. Odszedł Pionier, „Le Journal de Entreprises Morbihan", http://www.lejournaldesentreprises.com/editions/56/actualite/rencontre/yves-rocher-disparition-d-un-pionnier-08-01-2010-86264.php.

Oficjalna, polska strona koncernu Yves Rocher: http://www.yves-rocher.pl.

Żegnaj pionierze naturanych kremów, El Blog Alternativo, http://www.elblogalternativo.com/2009/12/30/yves-rocher-adios-al-pionero-de-la-cosmetica-verde-cuya-primera-crema-seguia-la-formula-de-una-curandera-local/#.

Oficjalna strona internetowa Grupy Yves Rocher: http://www.groupe-rocher.com.

Strona internetowa Fundacji Yves'a Rocher: http://www.yves-rocher-fondation.org.

Nekrolog Yves'a Rocher w dzienniku „The Guardian": https://www.theguardian.com/theguardian/2010/mar/07/yves-rocher-obituary.

✵

Henry Ford

(1863-1947)

amerykański przemysłowiec,
założyciel Ford Motor Company

Późną nocą 4 czerwca 1896 roku co najmniej pół ulicy Bagley w Detroit zbudziły odgłosy rozbijanych cegieł. To Henry Ford burzył ceglaną ścianę wynajmowanego pod numerem 58 garażu. Właśnie odpalił swój nowy, zasilany paliwem samochód, który okazał się zbyt duży, by przejechać przez drzwi. Konstruowanie go zajęło siedem lat, a autor projektu przewidział wszystko poza ograniczoną przez garażowe drzwi możliwością wyjazdu auta. Był to prototypu modelu, którym w przyszłości miało jeździć pół Ameryki.

Konstruktor i inżynier, człowiek, który na zawsze zmienił oblicze motoryzacji, urodził się 33 lata wcześniej w Springwell Township w hrabstwie Wayne w stanie Michigan jako pierworodny syn (spośród szóstki potomstwa) Williama i Mary Fordów. Dzieciństwo spędził, dzieląc czas między pomoc ojcu w pracach na farmie, naukę w jednoizbowej wiejskiej szkole i rozwijanie zainteresowań związanych z mechaniką. Czasu na poświęcanie się pasji pozostawało niewiele, zwłaszcza gdy w 1875 roku zmarła matka chłopca i dzieciom zabrakło opieki, a przybyło obowiązków. Jednak fascynacja urządzeniami mechanicznymi często brała górę nad codziennymi obowiązkami. Henry szczególną uwagę skupiał na poznawaniu zasad ich działania. Nie wystarczały mu teorie i tłumaczenia. Wrodzona dociekliwość sprawiała, że nie było dla niego ciekawszego zajęcia od samodzielnego sprawdzania, dlaczego dany przyrząd pracuje w określony sposób. Widok jakiegokolwiek silnika powodował, że chłopiec zapominał o całym świecie. Nie mniejszą ciekawość budziły wszelkiego rodzaju maszyny parowe, na przykład służące do młócenia zboża. Chętnie pomagał ojcu w naprawianiu tych sprzętów i wkrótce sam potrafił usuwać usterki maszyn gospodarskich.

Najbliżsi wiązali przyszłość Henry'ego z zegarmistrzostwem, zwłaszcza od dnia, gdy trzynastoletniemu chłopcu ojciec podarował zegarek, który ku zaskoczeniu rodziny Henry najpierw dokładnie rozebrał na części, by wkrótce – zaledwie przy pomocy wkrętaka i pęsety – zmontować na nowo. Czasomierz działał bez zarzutu. Chłopca jednak bardziej fascynowały nieco większe od zegarków mechanizmy, dlatego każdą wolną chwilę po szkole i skończeniu pracy na farmie spędzał przy majsterkowaniu w małym warsztacie mechanicznym, który wyposażył, zbierając niepotrzebne ojcu i sąsiadom narzędzia i przystosowując je do swoich potrzeb. Chociaż czasu na rozwijanie pasji miał niewiele, więc poświęcał jej głównie późne wieczory i noce, to właśnie na farmie ojca jako nastolatek odniósł pierwszy sukces i samodzielnie skonstruował silnik parowy.

Dociekliwość, zmysł analityczny, konsekwentne pokonywanie trudności, a przede wszystkim niezwykła wytrwałość w dążeniu do celu miały sprawić, że Ford w przyszłości zostanie uznany za najwybitniejszego przemysłowca na świecie. Zanim jednak do tego doszło, czekała go długa droga rozwoju, wyrzeczeń i ryzykownych decyzji. Pierwszą z nich Henry Ford podjął bardzo wcześnie. Właściwie w momencie, gdy zamknął za sobą po raz ostatni drzwi szkoły podstawowej. Szesnastoletni chłopak uznał wówczas, że nadeszła właściwa pora, by zacząć realizować własne marzenia, czyli dowiedzieć się wszystkiego o mechanice. Ale były to marzenia jego, a nie ojca, więc uciekł z domu rodzinnego do Detroit. Odległość między Springwell Township a pobliskim miastem pokonał pieszo i prawie bez grosza, jednak marzenie o pracy w warsztacie mechanicznym rekompensowało te niedogodności i utwierdzało go w przekonaniu, że podjął słuszną, choć niezgodną z wolą ojca, decyzję.

Odwaga i jasno sprecyzowane cele udowodniły dojrzałość młodego człowieka, więc rodzina w końcu zaakceptowała jego decyzję. Przez kolejne trzy lata przez sześć dni w tygodniu po dziesięć godzin dziennie poznawał tajniki naprawy i konstrukcji maszyn, początkowo otrzymując za swoją pracę dwa i pół dolara tygodniowo. Wyżywienie i zakwaterowanie kosztowało trzy i pół dolara na tydzień, więc Henry musiał szybko znaleźć zajęcie, dzięki któremu mógłby samodzielnie się utrzymać. Chłopak wykazywał się dużą intuicją techniczną i szybko się uczył, więc zatrudniono go w zakładzie jubilerskim produkującym zegarki z pensją wyższą o dwa dolary tygodniowo. Od siódmej rano do jedenastej wieczorem składał z gotowych elementów niewielkie mechanizmy odmierzające czas. Podobno już wtedy zaczął myśleć nad rozwiązaniem kwestii: jak ułatwić sobie pracę, jak ją usprawnić, jak rozwinąć produkcję, by przynosiła zarówno zyski producentowi, jak i zadowolenie odbiorcom? To wówczas po raz pierwszy wpadł na pomysł masowej produkcji tanich urządzeń, a niedająca mu spokoju myśl miała w przyszłości przybrać kształt samochodu Ford Model T.

Mimo że ojciec Henry'ego sceptycznie przyglądał się pomysłom syna, musiał pogodzić się z jego niezależnością i uporem w dążeniu do realizowania pasji, zaś Henry, gdy tylko miał czas, przyjeżdżał do domu i nadal pomagał w pracach na farmie. Szczególnie chętnie konserwował i naprawiał maszyny rolnicze. Jeśli u Fordów wszystko działało, zajmował się sprzętami sąsiadów, a gdy i oni nie potrzebowali pomocy, Henry rozwijał w myślach plany budowy pojazdu poruszanego silnikiem spalinowym. Pomysłowość, wytrwałość i zgłębianie wiedzy technicznej dały wymierne efekty. W końcu udało się Henry'emu zbudować niewielki ciągnik rolniczy z silnikiem jednocylindrowym, ale problem, jaki przy tym napotkał, czyli uruchomienie świateł padających na tylne koła, zmusił go do jeszcze większej pracy nad pokonywaniem trudności. Mimo to satysfakcja z sukcesu równoważyła niepowodzenia, a młody konstruktor tylko nabierał pewności, że warto oddawać się pasji. Marzenie o skonstruowaniu samochodu było coraz silniejsze. W tym czasie Henry Ford zdał egzamin czeladniczy i podjął pracę w fabryce w Detroit. Poza ciągłym pogłębianiem wiedzy praktycznej zajął się rozwijaniem także innych przydatnych umiejętności, między innymi uczył się księgowości w Goldsmith, Bryant & Stratton Bussiness College. Można by pomyśleć, że dzień nie ma tylu minut, by zmieściły się w nich wszystkie zajęcia i obowiązki Henry'ego Forda, a okazuje się, że nie tylko na nie mechanik i konstruktor znajdował czas. Miał przecież także życie osobiste.

W 1888 roku Henry Ford założył rodzinę. Ślub z Clarą Bryant nałożył na barki młodego małżonka ciężar odpowiedzialności za utrzymanie domu i na chwilę odsunął w cień jego marzenia. One jednak nie pozwoliły o sobie zapomnieć. Po roku prowadzenia rodzinnego tartaku Ford objął stanowisko głównego inżyniera w Edison Illuminating Company w Detroit. Odtąd miał trochę więcej czasu i pieniędzy, by po godzinach wrócić do swoich pasji. Z niespożytą energią przeprowadzał kolejne doświadczenia z silnikami parowymi, a potem spalinowymi. Te eksperymenty stały się nieodłącznym elementem codzienności. W przydomowym garażu założył warsztat i systematycznie każdego dnia poświęcał chociaż chwilę na zgłębianie wiedzy o działaniu i zastosowaniu silników. Przeprowadzał doświadczenia poprzedzone lekturą angielskich czasopism naukowych wskazujących, by skłaniać się ku silnikom spalinowym, w których widziano przyszłość bezkonnego transportu. Na efekty tych indywidualnych studiów trzeba było poczekać osiem lat, ale były one spektakularne. Pojazd napędzany silnikiem benzynowym, nazwany kwadrycyklem, powstał według samodzielnego pomysłu i wykonania Henry'ego Forda. Dla wytrwałego konstruktora każde miejsce było odpowiednie do pracy nad udoskonalaniem projektu, dlatego samodzielnie przez niego zbudowany silnik spalinowy został zmontowany na drewnianym kuchennym stole przy Bagley 58.

Niedługo później światło dzienne ujrzała konstrukcja z silnikiem dwucylindrowym opartym na ramie, do której pomysłowy konstruktor przymocował drewnianą ławeczkę i cztery koła od bicykla. Od tej chwili coraz bardziej pochłaniało Forda udoskonalanie prototypu pojazdu nazwanego przez autora: Ford Samodzielność. Coraz trudniej przychodziło mu godzenie pracy w Edison Illuminating Company z pasją, której się poświęcał. Pewnego dnia plany konstrukcyjne Ford pokazał dyrekcji fabryki, między innymi Thomasowi Edisonowi, a ten zachwycił się nowatorskimi rozwiązaniami technicznymi i zachęcił swojego pracownika do wzmożonych działań nad udoskonaleniem modelu, mimo że sam był zwolennikiem samochodów zasilanych elektrycznie.

15 sierpnia 1899 roku Henry Ford podjął jedną z najważniejszych, a może najważniejszą decyzję w życiu. Zrezygnował ze stanowiska głównego inżyniera, by wkrótce pod nazwą Detroit Automobile Company otworzyć firmę, której został współwłaścicielem. Właśnie w niej powstał pierwszy samochód z silnikiem spalinowym Forda, czyli po prostu Ford. Chociaż dwa lata później firma zbankrutowała, to decyzja o jej założeniu stała się początkiem dążenia do niezależności i budowania własnej marki. W tym

czasie Ford zaprojektował i skonstruował kilka modeli samochodów wyścigowych z silnikiem czterocylindrowym, a ich skuteczność sprawdził osobiście. 10 października 1901 roku za kierownicą słynnego Sweepstakes pokonał w wyścigu amerykańskiego championa Alexandra Wintona. To wydarzenie z pewnością zwiększyło popularność nazwiska Ford i pomogło mu w późniejszej promocji marki. Drugą firmę – Henry Ford Company – założyciel opuścił po roku. Pokłócił się ze wspólnikiem Williamem H. Murphym, który stworzył stanowisko głównego konsultanta do spraw technologii, ograniczając w ten sposób kompetencje Forda. Powiodło się dopiero za trzecim razem. Założenie kolejnej fabryki było jednak poprzedzone uciążliwym zbieraniem funduszy, przekonywaniem potencjalnych wspólników i spotykało się z tak dużą dozą sceptycyzmu, że gdyby nie silne przekonanie o słuszności działań, determinacja i wrodzony upór Forda, zakończyłoby się fiaskiem. W kolejnej firmie, czyli działającej od 1903 roku Ford Motor Company Henry Ford został wiceprzesem i głównym inżynierem, a trzy lata później prezesem. To w niej plany masowej produkcji tanich samochodów, o której marzył od czasu młodzieńczych praktyk w zakładzie jubilerskim, przybrały właściwy obrót i doprowadziły do rewolucji na rynku motoryzacyjnym. Pomysł, że małe zyski z masowej produkcji tanich aut bardziej się opłacą, niż wytwarzanie luksusowych, drogich i sprzedawanych w niewielkich ilościach samochodów zrealizowany został dzięki odwadze i bezkompromisowości jednego człowieka – Henry'ego Forda.

Zakład przy Mack Avenue produkował jednak zaledwie kilka samochodów dziennie. Powstawały bardzo powoli... jak domy. Nie było przecież jeszcze gotowych podzespołów, a każdy model auta montowano od początku do końca na miejscu. Samochód stał na podłodze, a robotnicy składali go od podwozia w górę, zaś po części jeździli do innych fabryk. Forda, który codziennie nadzorował pracę konstruktorów, irytowała ta opieszałość. Stała się ona jednak dla niego również inspiracją, ponieważ należał do ludzi, którzy napotykając problem, rozwiązują go. Aby przyspieszyć produkcję, zdecydował o zbudowaniu specjalnych platform, na których model składanego auta przemieszczał się od jednej ekipy monterów do kolejnej. To jednak nadal trwało zbyt długo. Poza tym kilkuosobowe brygady robotników musiały być dobrze wykwalifikowane, by zbudować cały samochód. Produkcja pochłaniała dużo czasu, a cena samochodu była bardzo wysoka. Ford marzył, by jego auta stały się dostępne dla każdego przeciętnie zarabiającego człowieka, co wymagało znacznego obniżenia kosztów pracy. Nieoczekiwanie z pomocą przyszedł mu jego podwładny William Klann, który zwiedzając chicagowską rzeźnię Swift & Company, zobaczył tusze wołowe przesuwające się na hakach wzdłuż szeregu stanowisk, przy których pracownicy wycinali określoną partię mięsa. Klann skojarzył składanie samochodu z rozkładaniem mięsa na części i słusznie stwierdził, że proces można odwrócić.

Dalszym udoskonalaniem pomysłu zajął się zespół specjalistów Ford Motor Company. Henry Ford i jego inżynierowie postawili na innowacyjność. Zaczęli od skonstruowania maszyn produkujących większość części samochodowych i wynaleźli metody montażu bezpośrednio z tych części. Robotników rozmieszczono przy poszczególnych stanowiskach, a do podwozia przywiązano grubą linę, przy pomocy której przesuwano podwozie auta w linii prostej wzdłuż poszczególnych stanowisk tak, by robotnicy montowali poszczególne części. Mogli to robić nawet ludzie niewykwalifikowani, ponieważ wymienne części były łatwe w obsłudze. Z czasem proces produkcji podzielono na etapy, zaczęto używać prowadnic ślizgowych i taśmociągów, a robotników i narzędzia rozmieszczano w takich miejscach, by linia produkcyjna pracowała bardziej wydajnie. Na tym nie koniec doświadczeń. Finalnym efektem była taśma montażowa, na której początku stało gołe nadwozie, a po przejściu kolejnych stanowisk samochód przy pomocy własnego silnika opuszczał fabrykę.

Eksperyment się powiódł. Ułatwił i usprawnił proces produkcji, a także radykalnie obniżył jej koszty. Spełniło się marzenie Henry'ego Forda o masowej produkcji samochodów. Wówczas był już człowiekiem na tyle zamożnym, że aby produkowane przez niego auta były jeszcze tańsze, wyeliminował pośredników surowców i transportu, kupując kopalnię rudy żelaza i lasy. Dla dyrektora Ford Motor Company bardzo ważna była jakość. Zwykł mawiać: „Jeśli jeden z moich samochodów się zepsuje, ja zostanę obarczony winą!", więc mimo masowej produkcji przez długi czas sprawdzał osobiście każdy wyprodukowany samochód, potwierdzając to własnoręcznym podpisem. Odpowiedzialność i dobrze rozumiany perfekcjonizm niestety stały się przyczyną opóźnień w wysyłce zamówionych aut, więc Henry Ford musiał w końcu zrezygnować z tych działań.

Precyzja, ciągłość i szybkie tempo pracy doprowadziły do tego, że od 1908 roku z taśmy produkcyjnej zjechał gotowy Ford Model T. Nie był to samochód luksusowy, ale był tani i bezpieczny. Powstawał z dwudziestu różnych gatunków stali, z których (w zależności od przeznaczenia) jedne były bardziej elastyczne, a inne przede wszystkim wytrzymałe. Co roku Henry Ford redukował cenę modelu T. Niekiedy tak drastycznie, że ryzykował bankructwem firmy, jednak mówił z przekonaniem: „Za każdym razem, gdy redukuję cenę samochodu o 1 dolara, zyskuję 1000 nowych kupujących". Firmie Ford Motor Company nie groziło niebezpieczeństwo upadku.

Henry Ford nie ustawał w dążeniu do usprawniania pracy robotników w swoich zakładach, równocześnie kładąc nacisk na to, by podwładni byli zadowoleni z formy zatrudnienia. Zakłady Ford Motor Company były dobrze oświetlone i klimatyzowane, dbano w nich o bezpieczeństwo. Ford, by zachęcić ludzi do pracy u siebie, wprowadził korzystne innowacje, między innymi pięciodniowy tydzień pracy, system trzyzmianowy i zwiększenie dziennej płacy robotników do 5 dolarów. Twierdził, że należy dać ludziom też trochę czasu na to, by mogli korzystać z zakupionych przez siebie aut. Niespodziewanie zmiany w przemyśle motoryzacyjnym zapoczątkowane przez Henry'ego Forda wpłynęły na decyzje społeczne i ekonomiczne klasy robotniczej Stanów Zjednoczonych. Dzięki tanim autom i korzystnym kredytom na ich zakup zaludniły się przedmieścia wielkich miast: Detroit i Nowego Jorku.

Pokojowe usposobienie i działalność na rzecz zapobiegania wojnom nie przeszkadzały Fordowi głosić poglądów antysemickich, przyjaźnić się z Adolfem Hitlerem i robić interesów z nazistowskimi Niemcami. Fabryka ciężarówek, którą otworzył w Kolonii, jako jedyna fabryka z kapitałem zagranicznym nie została przejęta przez państwo podczas II wojny światowej. W 1945 roku Ford złożył roszczenie wobec rządu USA o odszkodowanie za zbombardowanie tej fabryki w czasie II wojny i otrzymał 10 milionów dolarów rekompensaty.

Prywatnie był człowiekiem ciepłym i rodzinnym, chociaż też bardzo wymagającym. Do końca życia kładł nacisk na rozwój osobisty. W wieku 55 lat postanowił wycofać się z aktywnego zarządzania firmą, i powierzyć fotel prezesa jedynemu synowi Edselowi, jednak niespodziewana śmierć potomka w 1943 roku spowodowała, że powrócił do sprawowania tej funkcji. Już dwa lata później przekazał stanowisko wnukowi Henry'emu Fordowi II, a sam zajął się udoskonaleniem modelu ciągnika Fordson, nad którym pracował, i publikowaniem artykułów prasowych w tygodniku „The Dearborn Independent", którego był właścicielem.

Jedną z rozlicznych pasji Forda była pomoc społeczna. „Opieka społeczna państwa w rzeczywistości zależy od nas, jednostek" – mawiał Ford. Dbał o rozwój młodzieży. Inwestował w szkolnictwo zawodowe oraz stworzył w swoich zakładach możliwość zatrudniania ludzi niewidomych i niepełnosprawnych. Rozwinął też pomoc dla osób poszkodowanych w czasie wojny. W 1944 roku otrzymał medal Wybitnych za zasługi dla weteranów obu wojen światowych.

Droga do sukcesu Henry'ego Forda była wyboista, niepozbawiona ostrych zakrętów i martwych punktów, jednak dzięki jego odwadze, wizjonerstwu i niezłomności z czasem nabrała kształtu wielopasmowej autostrady. Henry Ford żył w czasach gorączkowego rozwoju motoryzacji, a jego zmysł analityczny, samodzielność, umiejętność rozumienia i rozwiązywania problemów technicznych oraz chęć ciągłego pogłębiania wiedzy sprawiły, że stał się kołem napędowym tej machiny. Marzenie Forda, aby „dać światu koła" –stworzyć auto tanie, ekonomiczne, a jednocześnie niezawodne – było rewolucyjne i zmieniło na zawsze oblicze produkcji samochodów. Nieoczekiwanie przyczyniło się także do poprawy jakości życia niższych klas społecznych. Henry Ford docenił człowieka, a ludzie docenili samochody Forda.

KALENDARIUM:

30 lipca 1863 – narodziny Henry'ego Forda w Springwell Township w hrabstwie Wayne, w amerykańskim stanie Michigan

1878 – samodzielne skonstruowanie pierwszego silnika przez piętnastoletniego Henry'ego

1879 – opuszczenie domu i wyjazd do pobliskiego Detroit, by podjąć pracę jako czeladnik u maszynisty

1888 – ślub z Clarą Bryant i prowadzenie tartaku

1891 – awans na stanowisko głównego inżyniera w Edison Illuminating Company w Detroit

1896 – skonstruowanie kwadrycykla – pojazdu o własnym napędzie

1899 – rezygnacja z pracy w Edison Illuminating Company i założenie własnej firmy Detroit Automobile Company

1903 – rozpoczęcie działalności Ford Motor Company, w której Ford został głównym inżynierem i wiceprezesem

23 lipca 1903 – sprzedanie pierwszego samochodu marki Ford

1906 – przejęcie kontrolnego pakietu akcji i objęcie funkcji prezesa

1908 – wprowadzenie na rynek Forda Model T

1919 – rodzina Fordów zostaje jedynym właścicielem Zakładów Forda, a Edsel – syn Henry'ego – prezesem

1943 – śmierć Edsela Forda i ponowne objęcie funkcji prezesa przez Henry'ego Forda

1945 – Henry Ford po raz drugi rezygnuje z funkcji prezesa Ford Motor Company i przekazuje stanowisko wnukowi Henry'emu Fordowi II

1946 – podczas uroczystości Złotego Jubileuszu Automobilizmu Amerykańskiego Henry zostaje uhonorowany za wielki wkład w rozwój przemysłu motoryzacyjnego

1947 – otrzymanie od Amerykańskiego Instytutu Ropy Naftowej złotego medalu za wybitne zasługi dla dobra ludzkości

7 lipca 1947 – śmierć na wylew krwi do mózgu w domu w Detroit

CIEKAWOSTKI:

- Używany od początków firmy Ford Motor Company owalny znak handlowy Forda jest jednym z najlepiej rozpoznawalnych symboli korporacyjnych na świecie. Oficjalnie zarejestrowano go w Urzędzie Patentowym Stanów

Zjednoczonych Ameryki w 1909 roku. Napis zamknięty w owalnej srebrno-błękitnej formie ewoluował, zanim przybrał ostateczną postać, ale tylko raz zmienił swój kształt diametralnie. W 1912 roku nazwę Ford umieszczono w trójkącie ozdobionym skrzydłami, które miały symbolizować „szybkość, lekkość, wdzięk i stateczność", poniżej widniał napis: „The Universal Car" (samochód uniwersalny), a całość miała kolor pomarańczowy lub ciemnobłękitny. Wzór nie spodobał się jednak Henry'emu Fordowi i został szybko wycofany.

- W latach 20. XX wieku Henry Ford był już narodowym bohaterem i sławą. Sama obecność Forda u fryzjera sprawiała, że tłumy gapiów przyciskały nosy do szyby, by zobaczyć człowieka, który umieścił Amerykę na kołach i zmienił sposób funkcjonowania przemysłu samochodowego.
- W 1915 roku Henry Ford wyczarterował statek wycieczkowy Oskar II i z grupą pacyfistów oraz sufrażystek wyruszył do neutralnej Norwegii, by tam negocjować z przywódcami

europejskich mocarstw zakończenie I wojny światowej. Mimo braku poparcia ze strony prezydenta Woodrowa Wilsona i innych znanych w Ameryce osobistości opinia publiczna przychylnie odnosiła się do utopijnej misji pokojowej Forda i towarzyszących mu ludzi dobrej woli.

- Henry Ford był antysemitą. W 1918 roku kupił i wydawał lokalną gazetę „The Dearborn Independent", w której ukazała się seria propagandowych artykułów pod tytułem: *Międzynarodowy Żyd, najważniejszy problem świata.* Stały się one podobno inspiracją dla samego Adolfa Hitlera podczas pisania przez niego *Mein Kampf.* W 1938 roku Hitler odznaczył go Krzyżem Wielkim Orderu Orła Niemieckiego – wysokim odznaczeniem III Rzeszy przyznawanym cudzoziemcom.
- Taśma montażowa zrewolucjonizowała proces produkcji, jednak inżynierowie nie potrafili skrócić fazy lakierowania. Najszybciej schła czarna farba na bazie asfaltu rozpuszczonego w terpentynie z dodatkiem oleju lnianego zwa-

na Japan Black, stąd słynne powiedzenie Henry'ego Forda: „Możesz mieć samochód w każdym kolorze pod warunkiem, że będzie czarny".

- Henry Ford wynajął kiedyś eksperta w dziedzinie wydajności pracy, żeby ten ocenił jego firmę. Po paru tygodniach ekspert wrócił do Forda. Ocena była pozytywna z wyjątkiem jednego słabego punktu. „To tamten człowiek w hali" - poinformował ekspert - „kiedy przechodzę przez jego gabinet, widzę, że leży wyciągnięty z nogami na biurku i śpi. On marnuje pańskie pieniądze, panie Ford". „Ach, ten człowiek" - odpowiedział Ford - „kiedyś wpadł na pomysł, dzięki któremu zaoszczędziliśmy miliony dolarów. A jego nogi znajdowały się wtedy dokładnie w tym samym miejscu co teraz".

INFORMACJE:

- Ford jest drugim co do wielkości producentem samochodów w USA i piątym na świecie.

W 2015 roku z fabryk Forda wyjechało około 6 milionów 635 tysięcy pojazdów. Firma Ford Motor Company zatrudniała prawie 200 tysięcy osób i osiągnęła zysk netto w wysokości ponad 7 miliardów 373 milionów dolarów.

- Ford T był produkowany od 1908 do 1927 roku. Pierwszy samochód tego modelu opuścił fabrykę 27 września 1908 roku. W latach 1909-1910 wyprodukowano 18 664 fordy T, a w latach 1916-1917 już 785 432. W latach 1920-1921 dzięki innowacjom w procesie produkcyjnym wyprodukowano ich już 1 250 000.
- W fabryce w River Rouge wybudowanej przez Forda w 1915 roku zatrudnionych było 75 tysięcy pracowników. Była ona w tym okresie największym ośrodkiem produkcyjnym na świecie.
- W zależności od zapotrzebowania na rynku Ford Motor Company zakładał w różnych krajach swoje filie, w których produkuje się całkiem różne, często nie występujące gdzie indziej modele marki Ford. Największa z nich to Ford-Werke AG znajdująca się w Kolonii, w Niemczech.

CYTATY:

„Dowiadujemy się więcej z naszych niepowodzeń niż z sukcesów".

„Jeśli sądzisz, że potrafisz, to masz rację. Jeśli sądzisz, że nie potrafisz – również masz rację".

„Chciwość pieniędzy jest największą przeszkodą w otrzymywaniu ich".

„Gdybym na początku swojej kariery przedsiębiorcy zapytał klientów, czego chcą, wszyscy byliby zgodni: chcemy szybszych koni. Więc ich nie pytałem".

„Myślenie to najcięższa praca z możliwych i pewnie dlatego tak niewielu ją podejmuje".

„Spotkać się to początek; zgodzić się to postęp; pracować razem to sukces".

„Potrzeba mi wielu ludzi, którzy dysponują nieograniczonymi zasobami niewiedzy na temat rzeczy niemożliwych".

ŹRÓDŁA I INSPIRACJE:

Historia Henry'ego Forda: http://www.ford.pl/O_firmie/Dziedzictwo, http://www.ford.pl/O_firmie/Dziedzictwo/Znak_Ford.

Henry Ford i triumf przemysłu samochodowego, http://www.kapitalizm.republika.pl/ford.html.

Piotr Milewski, *Henry Ford – amerykański idol Hitlera*, „Newsweek", http://www.newsweek.pl/historia/henry-ford-amerykanski-idol-hitlera-newsweek-pl,artykuly,278747,1,3.html.

Biografia Henry'ego Forda: http://www.biography.com/people/henry-ford-9298747.

Ford Motor Company 2015 Annual Report: http://corporate.ford.com.

✵

Jean-Claude Bourrelier

(ur. 1946)

prezes sieci marketów budowlanych Bricorama, założyciel grupy DIY

Życie w liczącej około 4000 mieszkańców miejscowości Saint-Calais we francuskim departamencie Sarthe w latach 50. XX wieku nie należało do łatwych. Trudne warunki egzystencji pogłębiał jeszcze powojenny kryzys. W domach brakowało nie tylko bieżącej wody, lecz często także nawet podłóg, które zastępowało klepisko. W jednej izbie tłoczyło się czasem nawet kilkanaście osób. W porównaniu z tym niewielki dom, w którym dorastał Jean-Claude Bourrelier wydawał się dostatni i wygodny. Mimo że po wodę trzeba było chodzić do rzeki oddalonej o ponad 300 metrów, zarówno Jean-Claude, jak i jego rodzeństwo traktowali ten obowiązek jako coś oczywistego. Dziadek chłopca był pasterzem, ojciec zwykłym robotnikiem. Ojciec, żeby zapewnić rodzinie przyzwoite warunki życia, pracował siedem dni w tygodniu do późnej nocy. Uwielbiał czytać, lecz miał na to czas dopiero po pracy i często oddawał się lekturze do świtu. Wiele czasu zajmowała rodzinie też pielęgnacja ogrodu warzywnego, który w dużym stopniu uzupełniał deficyty żywności. Jakby tego było mało, ojciec Jean-Claude'a toczył nierówną walkę z chorobą nowotworową gardła, którą ostatecznie przegrał, gdy chłopiec miał kilkanaście lat.

Jean-Claude uczęszczał do miejscowej szkoły podstawowej. Obowiązywała tam surowa dyscyplina. Bicie rózgą lub zamykanie w szafie należało do podstawowych kar za przewinienia lub niewystarczającą wiedzę. Jednak inteligentny i chętny do nauki chłopiec nie zaznał smaku tych kar. Mimo poważnej choroby słuchu był wyróżniającym się uczniem. Z okazji zakończenia roku szkolnego to on odbierał nagrody książkowe za bardzo dobre wyniki w nauce. Dzięki temu skromnie żyjąca rodzina Bourrelier wzbogaciła się o niewielką biblioteczkę.

Obok wartości wiedzy rodzice wpajali swoim dzieciom zasady swojej wiary. Wyniesione z dzieciństwa silne poczucie moralności i szacunku wobec drugiego człowieka oraz pokora w akceptowaniu swojego losu towarzyszyły Jean-Claude'owi przez resztę życia. Wiara pomogła mu w trudnych chwilach choroby ojca, a później była oparciem w ważnych momentach życiowych.

W 1960 roku czternastoletni Jean-Claude ukończył szkołę podstawową. Mimo bardzo dobrego świadectwa, zamiast kontynuować naukę, musiał zdobyć zawód, by odciążyć finansowo rodzinę. Nie pomogły prośby nauczycieli ani miejscowego proboszcza, którzy dostrzegli potencjał intelektualny chłopca. Ojciec wszystkie dzieci traktował jednakowo, więc Jean-Claude, podobnie jak wcześniej trójka jego rodzeństwa, musiał rozpocząć naukę zawodu. 1 lipca o świcie stanął przed drzwiami piekarni. Praca była wyczerpująca. Zaczynała się o 3 lub 4 nad ranem w dni powszednie, a w soboty trwała od 11 wieczorem aż do niedzielnego popołudnia. Nieprzespane noce, ciepłe i duszne pomieszczenia oraz nadmiar obowiązków rekompensowała jednak przyjazna atmosfera wśród współpracowników. Jean-Claude wyróżniał się pilnością, chętnie poznawał tajniki właściwego wypieku chleba. Niewiele czasu zajęło mu nauczenie się kolejnych etapów produkcji: właściwego mieszania i zagniatania ciasta, tak by dwutlenek węgla pozostający wewnątrz nadał mu elastyczność, odpowiedniego czasu fermentacji, dzielenia, nadawania kształtu, kolejnego odpoczywania, formowania, garowania, nacinania, które uwolni dwutlenek węgla dzięki czemu ciasto będzie lepiej rosło w piecu, faz wypieku i w końcu studzenia. Uznanie klientów piekarni nauczyło go, że warto przykładać się do każdego etapu pracy, bo wszystkie składają się na końcowy efekt, a zaniedbanie jednego, pozornie mniej ważnego, może zniweczyć cały trud. Tę naukę zapamiętał na resztę życia. Być może nawet zostałby w przyszłości niezłym piekarzem, jednak niespodziewanie na przeszkodzie karierze w tym zawodzie stanął pył z mąki... Mikroskopijne drobinki dostawały się wszędzie, także do uszu, i pogłębiały niedosłuch Jean-Claude'a. Koniecznie musiał zmienić pracę.

W małych miejscowościach wszystko było proste, nie zastanawiano się nad predyspozycjami chłopca, po prostu kazano mu przejść przez ulicę i w ten sposób Jean-Claude zaczął praktykować w znanym zakładzie masarskim Rillettes de la Sarthe naprzeciwko piekarni. Odbudowująca się po wojnie Francja potrzebowała wszelkich rąk do pracy, więc zawód rzeźnika był jak najbardziej przydatny, a według ojca miał zapewnić w przyszłości chłopcu spokojne życie. Jednak wrażliwy chłopak wkrótce znienawidził wrogą, bezkompromisową atmosferę i bezduszność wobec przeznaczonych na ubój zwierząt. Przerażała go bezwzględność człowieka, u którego pracował. Wiedział jednak, że koniecznie musi zdobyć zawód, bo wraz z nim otrzyma wolność wyboru dalszej drogi, dlatego rzetelnie przykładał się do nauki nielubianej profesji. To doświadczenie miało też swoje dobre strony. Zmobilizowało go tak bardzo, że uzyskał prestiżowy tytuł Meilleur Ouvrier de France w kategorii rzeźnictwa. Zaprocentowała umiejętność łączenia innowacyjności z szacunkiem dla tradycji fachu oraz skuteczność i perfekcja w wykonywaniu testowych zadań. Po trzech latach nauki zdobył też certyfikat umiejętności zawodowych (CAP), co znaczyło, że mógł samodzielnie pracować w wyuczonym zawodzie i wynieść się z miasteczka. Jednak ani przez chwilę nie pomyślał, by rzeczywiście się tym zająć.

Czy po traumatycznym doświadczeniu zabijania zwierząt istniało jeszcze coś, co mogło sprawić mu trudność? Jeśli nawet, to na pewno nie było to opuszczenie Saint-Calais. Jean-Claude postanowił przenieść się do Paryża, gdzie łatwiej było znaleźć pracę i rozpocząć samodzielne życie. Choroba słuchu wzmocniła w jego charakterze nieodpartą chęć pokonywania słabości i osiągania powziętych celów mimo piętrzących się trudności. Jean-Claude był świetnym obserwatorem. Ta zdolność pomagała mu niejednokrotnie w zdobywaniu wiedzy i umiejętności. Obserwacja innych i analizowanie ich zachowań ułatwiały mu przyswajanie poznawanych w trakcie nauki zawodu technik pracy. Analizował także własny rozwój. Już wtedy stwierdził, że może zajść daleko, jeśli tylko nauczy się pokonywać lęk przed nieznanym. Problemów się nie bał, bo zdobyte doświadczenia podpowiadały mu, że walka z trudnościami kształtuje siłę charakteru. Optymizm i wiara w sens ciężkiej pracy pomogły mu wzmocnić odwagę, a zdolność do nauki ułatwiła zdobywanie nowych umiejętności.

Początki życia w Paryżu nie były łatwe. Jean-Claude Bourrelier chwytał się różnych zajęć, aby utrzymać się w stolicy. Z czasem otrzymał pracę w jednym ze sklepów sieci Black&Decker – producenta narzędzi domowych, ogrodowych i elektronarzędzi przeznaczonych dla firm oraz odbiorców indywidualnych. Zajmował się sprzedażą, obsługą klienta i dostarczaniem towaru z magazynów firmy. Dzięki temu dokładnie poznawał asortyment i zgłębił podstawowe zasady przedsiębiorczości. Z czasem stał się prawdziwym znawcą potrzeb klientów. Paradoksalnie pomogła mu w tym przebyta w młodości choroba słuchu, która nauczyła Jean-Claude'a maksymalnego skupiania się na drugiej osobie, wsłuchiwania się w to, co mówi i analizowania jej zachowań, by właściwie zrozumieć jej intencje. Wykształciła w jego charakterze umiejętność obserwacji, wnikliwość i dobry kontakt z ludźmi, którzy również wyczuwali jego zainteresowanie i otwarcie mówili o swoich potrzebach. Ułatwiało to dopasowywanie asortymentu sklepu do zmieniających się wymogów klientów. Jednak mimo energii, jaką Jean-Claude wkładał w pracę, szef nie pozwalał mu się wykazać. Swoją powściągliwość usprawiedliwiał tym, że chłopak nie miał kierunkowego wykształcenia, mimo że wiedzą fachową w tym czasie przynajmniej dorównywał innym, jeśli ich nie przewyższał. Takie zachowanie przełożonego jeszcze bardziej zmobilizowało młodego mężczyznę do odważnego podejmowania samodzielnych działań, a w końcu do rezygnacji z pracy w Black&Decker.

W wieku 29 lat Jean-Claude Bourrelier otworzył własny sklep. Odważył się, mimo że nie posiadał wystarczających środków finansowych. Był pewien, że taka decyzja warta jest ryzyka, jakim było wzięcie kredytu. Towarzyszył mu optymizm i entuzjazm. Jego pierwszy sklep, w którym sprzedawano narzędzia dla majsterkowiczów, powstał na Boulevard Vincent-Auriol. Istnieje do dzisiaj i może pochwalić się klientami, którzy przychodzą tam od początku jego funkcjonowania. To z tego miejsca rozpoczął się rozwój sieci marketów budowlanych Bricorama.

Zakres asortymentu rozszerzał się i zmieniał zgodnie z modą i zainteresowaniami klientów. W ciągu następnych ośmiu lat Jean-Claude Bourrelier otworzył pięć kolejnych sklepów, w których można było już kupić materiały budowlane, remontowe, dekoracyjne, hydrauliczne i elektryczne należące do grupy produktów DIY, łatwych w użyciu, skierowanych do amatorów zajmujących się tworzeniem, naprawą i konserwacją wnętrz. Uznanie klientów generowało zyski i wpłynęło na decyzję o otwieraniu kolejnych sklepów. W 1992 roku Jean-Claude Bourrelier wykorzystał fakt, że grupa Kingfisher wystawiła na sprzedaż sieć marketów budowlanych. Po raz kolejny zaryzykował, kupił 15 sklepów i w ten sposób stanął na czele Brikoramy. Po przejęciu sieci sklepów remontowo-budowlanych nowy właściciel postawił na realizację nadrzędnej zasady zgodnej z wyniesionym z dzieciństwa przekonaniem, że nie można budować sukcesu kosztem krzywdy drugiego człowieka, dlatego najważniejszym celem firmy powinno być zadowolenie klientów. Jean-Claude pamiętał o skuteczności takiego postępowania jeszcze z czasów pracy w piekarni. Żeby jednak osiągnąć zamierzony cel, potrzebna była wiedza i doświadczenie w branży. Ludzie przyjmowani do pracy w Bricoramie przechodzili cykle szkoleń, by służyć profesjonalną radą w doborze najlepszych produktów. Sam właściciel, mimo zdobycia ogromnej wiedzy zarówno o branży remontowo-budowlanej, jak i skutecznym marketingu, nie przestawał gromadzić doświadczeń. Nie pozwalała mu na to wrodzona ciekawość i energia działania. Siedem dni w tygodniu nadzorował właściwą pracę w swoich sklepach, więc wiedział, czy posiadają na tyle bogate wyposażenie, by każdy, nawet najbardziej wybredny klient, znalazł odpowiedni produkt.

Na tym jednak Bourrelier nie zakończył rozwoju marki. Kontynuuje ten proces. Towarzyszy mu ciągłe podążanie za nowinkami technicznymi i dostosowywanie asortymentu do zmieniających się gustów i potrzeb klientów, a równocześnie otwieranie nowych magazynów i kupowanie sklepów, także za granicą, gdy tylko pojawi się korzystna okazja. W ten sposób z biegiem czasu Jean-Claude Bourrelier rozciągnął sieć sklepów budowlanych Bricorama na kraje Europy Zachodniej. Wciąż musi pokonywać nowe wyzwania, bo sprzedaż poza granicami Francji wiąże się z innymi grupami odbiorców, ich odmiennym stylem życia, sposobem myślenia i przyzwyczajeniami, które trzeba poznać, by zadowolić kupujących.

Jean-Claude Bourrelier wygląda na człowieka szczęśliwego. Charyzmatyczny, uśmiechnięty, w czasie publicznych wystąpień i wywiadów często pojawia się w firmowej żółtej koszuli Bricoramy. Stał się we Francji symbolem nowej formy kapitalizmu, czyli kapitalizmu z ludzką twarzą, na której przede wszystkim widać troskę o drugiego człowieka. W czym kryje się sekret sukcesu chłopca z biednej robotniczej rodziny osiągnięty w kraju, w którym do niedawna trudne do przekroczenia granice społeczne wyznaczały hierarchię wartości? To historia człowieka o dużej inteligencji, żelaznej woli i niezłomnych zasadach popartych optymizmem, głębokim poczuciem sprawiedliwości i równości wobec prawa. Wyzwania losu, nowe miejsca i spotkania z ludźmi stały się dla niego inspiracją do nauki, zdobywania doświadczeń i wyciągania z nich konstruktywnych wniosków. Sukces prezesa Bircoramy jest poparty latami gromadzenia wiedzy, pasją, ambicją, dużą odwagą, niezwykłą intuicją handlową, a przede wszystkim ogromną pracowitością.

KALENDARIUM:

16 sierpnia 1946 roku – narodziny w Saint-Calais we Francji
1960 – ukończenie miejscowej szkoły podstawowej
1963 – zdobycie zawodowego certyfikatu CAP
1975 – otwarcie pierwszego sklepu na Boulevard Vincent-Auriol w Paryżu
1975-1983 – otwarcie kolejnych pięciu sklepów
1980 – stworzenie marki Batkor
1990 – nabycie 15 sklepów Bricorama należących do grupy Kingfisher
od 1992 roku – pełnienie funkcji prezesa i CEO sieci marketów Bricorama
1995 – nabycie 16 sklepów sieci La Bricaillerie
1996 – wprowadzenie firmy Bricorama na giełdę
1997 – nabycie belgijskich i holenderskich spółek zależnych od USA Wickes Plc
1998-2001 – wykup Outirama oraz prawa do znaków firmowych Bricostore i Gamma
2004 – otwarcie pierwszego sklepu w Hiszpanii, inicjujące strategię rozwoju firmy na Półwyspie Iberyjskim

2014 – otrzymanie tytułu Kawalera Legii Honorowej

CIEKAWOSTKI:

- Mimo dostatku żyje skromnie. Bardzo ceni recykling i ekologiczny styl życia. Za najbardziej wartościowe uważa przyjaźnie zawarte w dzieciństwie.

DANE LICZBOWE:

- Jean-Claude Bourreleir jest największym udziałowcem sieci Bricorama – posiada 87% akcji spółki.
- Bricorama posiada 223 sklepy w całej Europie, w tym 92 we Francji, 40 w Belgii, 33 w Holandii, 8 w Hiszpanii oraz 50 w formie franczyzy.
- Grupa posiada cztery różne marki: Bricorama i Batkor we Francji, Karwei w Holandii i Gamma w Belgii i Holandii.

- Grupa zatrudnia 2614 osób w swoich 95 francuskich sklepach.
- W 2014 roku kapitał Bricoramy wynosił 200 mln euro.
- W 2014 roku obroty wyniosły 675 mln euro, a zyski netto 12,7 mln euro.

CYTATY:

„Gdy pojawi się bogactwo, zdajesz sobie sprawę, że to nie pieniądze sprawiają, że jesteś szczęśliwy".

„Łączy nas pasja!" (hasło Bricoramy).

„Przeszłość to przeszłość. Aby iść do przodu, nie możesz patrzeć wstecz, inaczej uderzysz w ścianę".

5 PORAD JEAN-CLAUDE'A BOURRELEIRA:

1) Być bardzo pracowitym. Wszyscy popełniają błędy, ale jeśli będą ciężko pracować, mogą

szybko je naprawić. Prowadzenie działalności gospodarczej jest jak prowadzenie łodzi. Dobry kapitan szybko zauważy dryfowanie statku i zdąży wyprostować ster.

2) Im większa firma, tym bardziej należy być uważnym i czujnym. Jeśli ktoś ma małą firmę, marzy, żeby się rozwinęła. Ale gdy już tak się stanie, musi być bardzo ostrożnym, ponieważ każdy mały błąd może być i tak zbyt duży, aby udało się go naprawić.
3) Należy słuchać klienta. Ważna jest empatia wobec klienta, pragnienie, aby dokładnie spełnić jego potrzeby.
4) Starać się być wzorem. Jeśli menedżer zespołu pracuje wydajnie, to pracownicy będą starali się iść w jego ślady.
5) Dotrzymywać obietnic! Zarówno wobec klientów, jak i pracowników.

ŹRÓDŁA I INSPIRACJE:

http://www.lefigaro.fr/actualite-france/2011/07/04/

01016-20110704ARTFIG00629-ils-ont-reussi-sans-avoir-decroche-le-sesame-national.php.

Jean-Claude Bourrelier, *Ma boîte à outils pour la reprise*, Michel Lafon, 2016.

Picard Magali, *Jean-Claude Bourrelier, pdg de Bricorama „Régler la question des ouvertures dominicales par ordonnance, c'est parfait!"*, http://www.lsa-conso.fr/jean-claude-bourrelier-bricorama-il-est-plus-difficile-de-reussir-aujourd-hui-dans-la-distribution,229404.

http://www.dynamique-mag.com/entrepreneur/jean-claude-bou-rrelier.53.

Corinne Bouchouchi, *Jean-Claude Bourrelier, patron de Bricorama : „Quand on est chef d'entreprise, on ne peut pas être socialiste"*, http://tempsreel.nouvelobs.com/economie/20160121.OBS3128/jean-claude-bourrelier-patron-de-bricorama-quand-on-est-chef-d-entreprise-on-ne-peut-pas-etre-socialiste.html.

http://www.bricorama.fr/0/D/groupe-presentation.html.

✵

Zakończenie

Każdy z nas jest niepowtarzalny i wyjątkowy. Sylwetki 10 samouków przedsiębiorców pokazują, że człowiek jest w stanie osiągnąć niewiarygodne cele życiowe, jeśli będzie potrafił marzyć, wystarczy mu determinacji i twórczej radości z działania. Szkoda, że typowa szkoła, z którą najczęściej mamy do czynienia, do tego nie przygotowuje. Programy oderwane od rzeczywistości, dehumanizacja treści nauczania, założenie, że wszystkie dzieci w tym samym czasie muszą posiąść tę samą wiedzę i zdobyć te same umiejętności utrudniają tylko faktyczny rozwój. Kiedyś można było to uzasadnić brakiem innego powszechnego dostępu do wiedzy. Dziś jednak zapewnia go Internet. Postęp we wszystkich dziedzinach jest tak znaczny, że wiedza się dezaktualizuje, zanim trafi do programów szkolnych i podręczników. Ich twórcy nie bardzo potrafią odpowiedzieć na pytanie, dlaczego akurat taki, a nie inny fragment wiedzy mają poznawać uczniowie. I dlaczego nadal, mimo pozornych zmian, mają się uczyć metodami bardzo zbliżonymi do tych stosowanych w całym poprzednim stuleciu.

W niektórych krajach zrozumiano, że nauka powinna wyglądać zupełnie inaczej. Przykładem może być Finlandia. W tej chwili fińscy uczniowie wypadają najlepiej na świecie w pomiarach przyrostu wiedzy, mimo że na naukę poświęcają znacznie mniej czasu niż dzieci w innych krajach. Wdrożono tam siedem zasad wspomagających rozwój. Obowiązuje równość szkół, rodziców, nauczycieli, praw dorosłych i dzieci, przedmiotów, a przede wszystkim uczniów. Nie wolno porównywać żadnego ucznia z innym, bo porównywanie dzieli. Zasadą jest integracja. Każdy uczeń jest więc tak samo dobry, każdy ma tę samą wartość. Uczniom zapewnia się nie tylko bezpłatną naukę i transport do szkoły, ale i darmowe posiłki oraz wyposażenie. Do każdego ucznia podchodzi się indywidualnie. Program jest ten sam, podobny materiał, ale o różnym stopniu trudności. Oceniany jest w porównaniu do tego, co potrafił wczoraj, jednak jeśli nie zrobi postępu, nikomu to nie przeszkadza. Jest jednak coś jeszcze ważniejszego, coś, co zapewne pomogłoby opisywanym przez nas samoukom uniknąć wielu błędów. Szkoły fińskie przygotowują do życia (w przeciwieństwie do systemów, które przygotowują do zdawania egzaminów). Uczą wartości pieniądza, wiedzy na temat obowiązujących podatków czy praw obywatela. Uczniom się ufa, wierzy się, że każdy z nich potrafi dobrze wybrać, a więc jeśli nie chce czegoś zrobić, może wybrać temat, który interesuje go bardziej, albo na przykład czytać książkę. Ufa się też nauczycielom, którzy mają bardzo dużą swobodę w wyborze sposób nauczania. Czy uczeń w takich warunkach chce się uczyć, czy też nie – zostawia się jego wyborowi. Jeśli woli, zdobywa praktyczny zawód, nie musi tkwić latami w szkole, jeśli nie jest to zgodne z jego pomysłem na życie lub zdolnościami. Nie musi się też wstydzić powtarzania roku, bo nie jest to traktowane jak coś złego. Młodzi ludzie nie muszą wkuwać na pamięć regułek, mają się nauczyć rozwiązywania problemów na bazie wiedzy odnajdywanej w książkach lub Internecie. Najważniejszy jest cel: przygotować młodego człowieka do udanego życia, w którym nie będzie zależny od innych.

Trochę czuć w tym ducha szkół Montessori, których ideą jest podążanie za dzieckiem, tak by mogło rozwijać się zgodnie ze swymi potrzebami, by pozostało twórcze i radosne oraz przeniosło te cechy w dorosłe życie. To na razie brzmi utopijnie, ale skoro już są szkoły, a nawet całe państwa, które potrafią uczyć zgodnie z tymi zasadami, być może kiedyś powszechny będzie system szkolny, w którym każdy będzie „samoukiem", będzie rozwijał się na miarę swoich potrzeb, by w przyszłości realizować swoje własne cele, harmonijnie rozwijając wszystkie sfery życia: osobistą, rodzinną i zawodową, i pamiętając o tym, że najważniejsze są wartości duchowe. One bowiem pozwalają dostrzegać potrzeby drugiego człowieka, kształtować dobre relacje w rodzinie i prowadzić sprawiedliwy biznes.

Dodatek 1

Inspirujące cytaty

Wydaje mi się, że od dziecka miałem w sobie ciekawość świata i ludzi. Świadomie zacząłem prowadzić obserwacje i notować spostrzeżenia mniej więcej w piętnastym roku życia, kiedy wyprowadziłem się z domu rodzinnego do szkoły z internatem. Wtedy kupiłem pierwszy zeszyt do notowania moich przemyśleń. Teraz takich zeszytów mam całe mnóstwo. Często zapisywałem w nich inspirujące cytaty, których bogate źródło znalazłem w Biblii, a także w biografiach słynnych ludzi: odkrywców, wynalazców, naukowców i artystów. Najbliższe są mi te, które dotyczą sfery duchowej człowieka. Pomagały mi odkrywać prawdę o świecie i sensie życia. Wielokrotnie do nich wracam.

Na tej podstawie wyciągam wnioski i stawiam kolejne pytania, by uzyskać pełniejszy obraz sytuacji i wytyczać dalsze kierunki rozwoju. Zachęcam Cię do zapoznania się z 179 wybranymi cytatami które moim zdaniem uczą bycia mądrym.

JOHN QUINCY ADAMS

Jeśli twoja aktywność inspiruje innych, by więcej marzyć, więcej się uczyć, więcej działać i stawać się kimś więcej, to jesteś liderem. Odwaga i wytrwałość są magicznymi talizmanami, przed którymi trudności znikają, a przeszkody rozpływają się w powietrzu.

JAKUB ALBERION

Znajdujesz to, czego szukasz, umyka Ci to, co zaniedbujesz.

ARCHIMEDES

Dajcie mi odpowiednio długą dźwignię i wystarczająco mocną podporę, a sam jeden poruszę cały glob.

Arystoteles

Cnotę widać wyraźniej w czynach niż w ich braku. Przyjemność życia jest przyjemnością płynącą z ćwiczenia duszy; to jest bowiem prawdziwe życie. Staraj się żyć dobrze, czerp z życia zadowolenie. Jeśli jesteś mądry, a nie wątpię, że jesteś, nie goń za dobrami materialnymi. To marność! Dąż do doskonałości we wszystkim! Szczęśliwy jest ten, kto dobrze żyje i komu dobrze się dzieje.

Mary Kay Ash

Dasz sobie radę!

Augustyn

Nie wychodź na świat, wróć do siebie samego: we wnętrzu człowieka mieszka prawda.

Jane Austen

Taki powinien być młody człowiek. Obojętnie, czym by się nie zajmował, jego zapał nie powinien znać umiaru, a on sam zmęczenia.

Kenny Ausubel

Używaj swoich zdolności, jakiekolwiek są.

Richard Bach

Obstawaj przy swoich ograniczeniach, a z pewnością staną się częścią Ciebie samego.

Robert Baden-Powell

Nie chodzi o to, byśmy osiągnęli nasze najwyższe ideały, lecz o to, aby były one naprawdę wysokie.

Honoriusz Balzak

Prawdziwe szczęście jest rzeczą wysiłku, odwagi i pracy.

Tristan Bernard

Jeśli jesteś dobrą piłką, to im silniej Cię uderzą, tym wyżej się wzniesiesz.

Biblia (Dz 20:35):

Więcej szczęścia jest w dawaniu aniżeli w braniu.

Biblia (Flp 4:8):

W końcu, bracia, wszystko, co jest prawdziwe, co godne, co sprawiedliwe, co czyste, co miłe, co zasługuje na uznanie: jeśli jest jakąś cnotą i czynem chwalebnym – to miejcie na myśli.

Biblia (Ga 6:9):

W czynieniu dobra nie ustawajmy, bo gdy pora nadejdzie, będziemy zbierać plony, o ile w pracy nie ustaniemy.

Biblia (Hbr 11:1–10):

Wiara jest poręką tych dóbr, których się spodziewamy, dowodem tych rzeczywistości, których nie widzimy.

Biblia (Łk 14:28):

Kto z Was, chcąc zbudować wieżę, nie usiądzie wpierw i nie obliczy wy datków, czy ma na jej wykończenie.

Biblia (Mt 17:20):

Jeśli będziecie mieć wiarę jak ziarnko gorczycy, powiecie tej górze: „Przesuń się stąd tam!", a przesunie się. I nic niemożliwego nie będzie dla Was.

Biblia (Prz 12:18):

Język mądrych jest lekarstwem.

Biblia (Prz 16:23–24):

Od serca mądrego i usta mądrzeją, przezorność na wargach się mnoży. Dobre słowa są plastrem miodu, słodyczą dla gardła, lekiem dla ciała.

Biblia (Prz 17:22):

Radość serca wychodzi na zdrowie, duch przygnębiony wysusza kości.

Biblia (Psalm I ks. I Dwie drogi życia):

Szczęśliwy mąż, który nie idzie za radą występnych, nie wchodzi na drogę grzeszników i nie siada w kole szyderców, lecz ma upodobanie w prawie Pana, nad jego prawem rozmyśla dniem i nocą. Jest on jak drzewo zasadzone nad płynącą wodą, które wydaje owoc w swoim czasie, a liście jego nie więdną: co uczyni, pomyślnie wypada.

Biblia (Rz 12:15,16):

Weselcie się z tymi, którzy się weselą. Płaczcie z tymi, którzy płaczą. Bądźcie zgodni we wzajemnych uczuciach.

Biblia (Prz 15:14):

Serce rozważne szuka mądrości.

Napoleon Bonaparte

Tak samo jak pojedynczy krok nie tworzy ścieżki na ziemi, tak pojedyncza myśl nie stworzy ścieżki w Twoim umyśle. Prawdziwa ścieżka powstaje, gdy chodzimy po niej wielokrotnie. Aby stworzyć głęboką ścieżkę mentalną, potrzebne jest wielokrotne powtarzanie myśli, które mają zdominować nasze życie.

Phil Bosmans

Dziecko jest chodzącym cudem. Jedynym, wyjątkowym, niezastąpionym. Uzdrowić człowieka oznacza oddać mu utraconą odwagę.

Wykorzystaj dzień dzisiejszy. Obiema rękoma obejmij go. Przyjmij ochoczo, co niesie ze sobą: światło, powietrze i życie, jego uśmiech, płacz i cały cud tego dnia. Wyjdź mu naprzeciw.

Nathaniel Branden

Jeżeli żyjemy świadomie, nie wyobrażamy sobie, że nasze odczucia nieomylnie wskazują prawdę.

Pearl Buck

Są ludzie, którzy nie zauważają małego szczęścia, ponieważ daremnie czekają na duże.

Orson Scott Card

Co innego słyszeć, a co innego słuchać...

Dale Carnegie

Szczęście nie przychodzi z zewnątrz. Zależy od tego, co jest w nas samych. Większość rzeczy na tym świecie stworzona została przez ludzi, którzy wytrwali, gdy zdawało się, że nie ma już nadziei.

Winston Churchill

Ciągłe podejmowanie wysiłku, a nie siła czy inteligencja, jest kluczem do wyzwolenia naszego potencjału. Jestem optymistą. Bycie kimkolwiek innym nie wydaje się do czegokolwiek przydatne.

Nigdy, nigdy, nigdy się nie poddawaj.

Pesymista szuka przeciwności w każdej okazji. Optymista widzi okazję w każdej przeciwności.

Sukces polega na tym, by iść od porażki do porażki, nie tracąc entuzjazmu.

Arthur Charles Clarke

Jedyny sposób, by odkryć granice możliwości, to przekroczyć je i sięgnąć po niemożliwe.

Paulo Coelho

Emocje są jak dzikie konie i potrzeba wielkiej mądrości, by je okiełznać.

Świat należy do ludzi, którzy mają odwagę marzyć i ryzykować, aby spełniać swoje marzenia. I starają się robić to jak najlepiej.

Odważni są zawsze uparci.

To możliwość spełnienia marzeń sprawia, że życie jest tak fascynujące.

Tylko jedno może unicestwić marzenie. Strach przed porażką.

John Calvin Coolidge

Nic na świecie nie zastąpi wytrwałości. Nie zastąpi jej talent – nie ma nic powszechniejszego niż ludzie utalentowani, którzy nie odnoszą sukcesów. Nie uczyni niczego sam geniusz – nienagradzany geniusz to już prawie przysłowie. Nie uczyni niczego też samo wykształcenie – świat jest pełen ludzi wykształconych, o których zapomniano. Tylko wytrwałość i determinacja są wszechmocne.

John Cummuta

Kiedy poddasz się swojej wizji, sukces zaczyna Cię gonić.

Antoni Czechow

Człowiek jest tym, w co wierzy.

Chris Darimont

Duża część postępu w nauce była możliwa dzięki ludziom niezależnym lub myślącym nieco inaczej.

Maria Dąbrowska

Pismo i sztuka to jedyni świadkowie czasów.

Margaret Deland

Trzeba czegoś pragnąć, żeby żyć.

Benjamin Disraeli

Największym szczęściem jest poczucie sensu życia.

John Dryden

Najpierw sami tworzymy własne nawyki, potem nawyki tworzą nas.

Marie Ebner-Eschenbach

Zrozumienie sięga często dalej niż rozum.

Thomas Edison

Gdybyśmy robili wszystkie rzeczy, które jesteśmy w stanie zrobić, wprawilibyśmy się w ogromne zdumienie.

Największą słabością jest poddawanie się. Najpewniejszą drogą do sukcesu jest próbowanie po prostu jeszcze jeden raz.

Nie poniosłem porażki. Po prostu odkryłem dziesięć tysięcy błędnych rozwiązań!

Pewnego dnia zaprzęgniemy do pracy przypływy i odpływy, uwięzimy promienie słońca.

Albert Einstein

Dobro człowieka musi zawsze stanowić najważniejszy cel wszelkiego postępu technicznego.

Najpiękniejsza rzecz, jakiej możemy doświadczyć, to oczarowanie tajemnicą.

Nie staraj się być człowiekiem sukcesu, lecz człowiekiem wartościowym.

Nigdy nie trać świętej ciekawości. Kto nie potrafi pytać, nie potrafi żyć.

Osobowość kształtuje się nie poprzez piękne słowa, lecz pracą i własnym wysiłkiem.

Ważne jest, by nigdy nie przestać pytać. Ciekawość nie istnieje bez przyczyny.

Życie można przeżyć na dwa sposoby: albo tak, jakby nic nie było cudem, albo tak, jakby cudem było wszystko.

Ralph Waldo Emerson

Bohater nie jest odważniejszy od zwykłego człowieka, ale jest odważny pięć minut dłużej.

By nakreślić kurs działania i zrealizować go do końca, potrzeba Ci odwagi żołnierza.

Prawdziwa siła zrozumienia polega na niedopuszczeniu do tego, by coś, czego nie wiemy, krępowało to, co wiemy.

Epikur

Chcesz być szczęśliwy? Czytaj księgi! Poznawaj poglądy mądrych tego świata! Doceniaj piękno! Ciesz się każdą chwilą bez cierpienia!

Nie ma życia przyjemnego, które by nie było rozumne, moralnie podniosłe i sprawiedliwe, ani też życia rozumnego, moralnie podniosłego i sprawiedliwego, które by nie było przyjemne.

Nie można żyć szczęśliwie, nie żyjąc godnie, moralnie i uczciwie.

Michael Faraday

Nic nie jest zbyt piękne, aby mogło być prawdziwe.

Alexander Fleming

Narodziny nowego poprzedza zazwyczaj jakieś banalne wydarzenie. Newton spostrzegł spadające jabłko, James Watt zaobserwował, jak woda kipi w kociołku, Roentgenowi zmętniała klisza fotograficzna. Ale wszyscy ci ludzie mieli wiedzę tak rozległą, że umieli z banalnych zdarzeń wycią-gnąć rewelacyjne wnioski.

Raoul Follereau

Na co się przydaje wiedza, jeśli nie służy człowiekowi?

Henry Ford

Nie ma rzeczy niemożliwych, są tylko te trudniejsze do wykonania.

Terry Fox

To drożdże, dzięki którym nadzieje wznoszą się do gwiazd. Entuzjazm jest błyskiem oka, sprężystością kroku, uściskiem dłoni, nieodpartym przepływem woli i energii potrzebnej do realizacji najśmielszych pomysłów. Entuzjaści to wojownicy, których cechuje hart ducha i trwałe wartości. Entuzjazm stanowi podstawę postępu. Dzięki niemu możliwe są osiągnięcia, bez niego pozostaje tylko alibi.

Anatol France

Marzenia możesz zrealizować, jeśli tylko spróbujesz to zrobić.

Aby osiągnąć wspaniałe rzeczy musimy marzyć tak samo dobrze, jak działać.

By dokonać wielkich dzieł, powinniśmy nie tylko planować, ale również wierzyć.

W miarę jak się starzejemy, odkrywamy, że najrzadsza jest odwaga myślenia.

Benjamin Franklin

Silny jest ten, kto potrafi przezwyciężyć swe szkodliwe przyzwyczajenia.

Anna Freud

Siły i wiary w siebie poszukiwałam zawsze gdzieś poza sobą, a one pochodzą z mojego wnętrza. Cały czas są we mnie.

Erich Fromm

Szczęście to coś, co każdy z nas musi wypracować dla samego siebie.

Gail Godwin

Nikt z nas nie staje się kimś nagle, w jeden dzień. Przygotowania do tego trwają przez całe nasze życie.

Johann Wolfgang Goethe

Biorąc pod uwagę wszystkie akty tworzenia, odkrywa się jedną elemen-tarną prawdę: gdy się czemuś prawdziwie poświęcamy, wspiera nas Opatrzność.

Człowiek, który zyska i zachowa władzę nad sobą, dokona rzeczy największych i najtrudniejszych.

Myślenie jest ważniejsze niż wiedza, ale nie ważniejsze niż obserwacja.

Potykając się, można zajść daleko, nie wolno tylko upaść i nie podnieść się.

Mikołaj Gogol

Trzeba mieć w sobie wiele miłości, aby nasza krytyka skierowana przeciwko innemu człowiekowi wyszła mu na dobre.

Władysław Grabski

Trzeba, by autorytet wypłynął z wartości moralnych i intelektualnych, wtedy tylko jest on trwałym i poważnym.

David Grayson

Jakże wielu ludzi, którzy wyprawiają się w poszukiwaniu szczęścia, nie zauważa, że ono czeka na ganku ich domu.

Trygve Gulbranssen

Pieniądz wiele żąda od swego właściciela – zabierze mu nawet duszę, jeśli nie będzie na siebie uważał.

Adolf Harnack

Nic bardziej nie wzmacnia człowieka niż okazane mu zaufanie.

Nic bardziej nie wzmacnia człowieka niż okazane mu zaufanie.

Hermann Hesse

Istnieją miliony oblicz prawdy, ale prawda jest tylko jedna.

Jaki sens miałoby pisanie, gdyby nie stała za nim wola prawdy.

Hi-cy-Czuan

Naucz się znajdować radość w życiu – to najlepszy sposób przyciągnięcia szczęścia.

Napoleon Hill

Wiara nakierowana na odniesienie sukcesu nada siłę każdej Twojej myśli.

Paul Holbach

Aby być szczęśliwym, trzeba pragnąć, działać i pracować, taki jest porządek przyrody, której życie polega na działaniu.

Ciesz się z podróży.

Oliver Holmes

Tylko wiara i entuzjazm sprawiają, że warto żyć.

Albert Jacquard

Zdolność myślenia nie zna granic.

Margo Jones

Odrobina wiary jest warunkiem powodzenia każdego przedsięwzięcia.

Erica Jong

Zaakceptowałam strach jako nieodłączną część życia – szczególnie strach przed zmianami. Idę naprzód mimo walenia serca, które mówi: zawróć.

Joseph Joubert

Dzieci potrzebują bardziej dobrego przykładu niż krytyki.

Kartezjusz

Myślę, więc jestem.

Erich Kästner

Można wyjść od jakiegoś punktu, ale nie można na nim spocząć.

Helen Keller

Gdy zamykają się jedne drzwi do szczęścia, otwierają się inne, ale my patrzymy na pierwsze drzwi tak długo, że nie widzimy tych drugich.

Możemy zrealizować każde zamierzenie, jeśli potrafimy trwać w nim wystarczająco długo.

Życie albo jest śmiałą przygodą, albo nie jest życiem. Nie lękać się zmian, a w obliczu kapryśności losu zachowywać hart ducha – oto siła nie do pokonania.

Johannes Kepler

Radość jest potrzebą, siłą i wartością życia.

Karol Kettering

Obchodzi mnie przyszłość, bo zamierzam spędzić w niej resztę życia.

Problem dobrze ujęty, to w połowie rozwiązany.

Antoni Kępiński

Dziecko, bawiąc się, doznaje po raz pierwszy w życiu radości twórcy i władcy.

W miarę dojrzewania uczuciowego wzrasta potrzeba dawania.

Jan Amos Komeński

Kto się o mądrość ubiega, ten księgi miłować winien nad srebro i złoto.

John Kotter

Większość ludzi nie prowadzi swojego życia. Oni je tylko akceptują.

Roger L'Estrange

To nie miejsce ani spełnienie jakiegoś warunku, ale sam umysł jest tym, co może uczynić każdego szczęśliwym lub nieszczęśliwym.

Leonardo da Vinci

Trzeba kontemplować i dużo myśleć. Kto mało myśli, ten dużo traci.

Abraham Lincoln

Ludzie są na tyle szczęśliwi, na ile sobie pozwolą nimi być.

Moim problemem nie jest, czy Bóg jest po naszej stronie. Moim największym zmartwieniem jest, czy my jesteśmy po stronie Boga. Bo Bóg ma zawsze rację!

Mike Litman

Człowiek rodzi się po to, by wieść nadzwyczajne życie, robić nadzwyczajne rzeczy i pomóc nadzwyczajnej liczbie ludzi.

Lope de Vega

Postęp to znaczy lepsze, a nie tylko nowe.

Tylko przykład jest zaraźliwy.

John Mansfield

Człowiek składa się z ciała, umysłu i wyobraźni. Jego ciało jest niedoskonałe, jego umysł zawodny, ale jego wyobraźnia czyni go znakomitym.

Marek Aureliusz

Najtrudniej jest dotrzeć do samego siebie.

Zawsze masz możność żyć szczęśliwie, jeśli pójdziesz dobrą drogą i zechcesz dobrze myśleć i czynić. A szczęśliwy to ten, kto los szczęśliwy sam sobie przygotował. A los szczęśliwy to dobre drganie duszy, dobre skłonności, dobre czyny.

John Mason

Potrzeba młotka wytrwałości, by wbić gwóźdź sukcesu.

John McCain

Zacznij od tego, żeby mieć odwagę. Reszta przyjdzie sama.

Anthony de Mello

Jeśli jesteś nieszczęśliwy, to dlatego, że cały czas myślisz raczej o tym, czego nie masz, zamiast koncentrować się na tym, co masz w danej chwili.

Leroy „Roy" Milburn

Wytrwałość jest tym dla ludzi, czym drożdże dla chleba i ciasta.

Monteskiusz

Im mniej ludzie mówią, tym więcej myślą.

Reinhold Niebuhr

Boże, daj mi tę łaskę, bym przyjął to, czego nie mogę zmienić. Daj odwagę, bym zmieniał to, co zmienić mogę. I mądrość, bym odróżnił jedno od drugiego.

Earl Nightingale

Nie pozwól, by obawa o to, ile czasu zajmie osiągnięcie czegoś, przeszkodziła Ci w zrobieniu tego. Czas i tak upłynie, można więc równie dobrze wykorzystać go w najlepszy możliwy sposób.

Borys Pasternak

Nigdy w żadnym wypadku nie wolno wpadać w rozpacz. Mieć nadzieję i działać – oto nasz obowiązek w nieszczęściu.

Odwaga góry przenosi.

Ludwik Pasteur

Moja siła leży w nieustępliwości.

Norman Vincent Peale

Entuzjazm zmienia wszystko.

Platon

Doświadczenie pozwala nam kierować własnym życiem wedle zasad sztuki, brak doświadczenia rzuca nas na igraszkę losu.

Myśleć to, co prawdziwe, czuć to, co piękne, i kochać, co dobre.

Jules Henri Poincaré

Wiedzę buduje się z faktów, jak dom z kamienia; ale zbiór faktów nie jest wiedzą, jak stos kamieni nie jest domem.

Alexander Pope

Najlepiej znoszą krytykę ci, którzy najbardziej zasługują na pochwałę.

Anthony Robbins

Determinacja jest wyzwaniem budzącym ludzką wolę.

Eleanor Roosevelt

Bez Twojego pozwolenia nikt nie może sprawić, że poczujesz się gorszy.

Jan Jakub Rousseau

Prawdziwa grzeczność polega na wyrażaniu życzliwości.

Rośliny uszlachetnia się przez uprawę, ludzi – przez wychowanie.

Joanne K. Rowling

Liczy się nie to, kim się ktoś urodził, ale kim wybrał, by być.

Bertrand Russell

Pewne rzeczy są dla większości ludzi niezbędnym warunkiem szczęścia, ale są to rzeczy proste: pożywienie, dach nad głową, zdrowie, miłość, powodzenie w pracy i szacunek otoczenia.

Życie szczęśliwe jest w niezwykłym stopniu identyczne z życiem wartościowym.

William Saroyan

Dziecko poszukuje dziecka w każdym, kogo spotka. Jeśli znajdzie je w dorosłym, podoba mu się ta osoba bardziej niż inne.

Antoine de Saint-Exupéry

Będziemy szczęśliwi dopiero wtedy, gdy uświadomimy sobie nasze zadanie, choćby najskromniejsze. Wtedy dopiero będziemy mogli spokojnie żyć i spokojnie umierać, gdyż to, co nadaje sens życiu, nadaje sens także śmierci.

Andrzej Sapkowski

Jeśli cel przyświeca, sposób musi się znaleźć.

José Saramago

Nigdy się nie dowiemy, do jakiego stopnia nasze życie uległoby zmianie, gdyby pewne usłyszane i niezrozumiane zdania zostały zrozumiane.

Jean-Paul Sartre

Każdy musi odkryć swoją własną drogę.

Éric-Emmanuel Schmitt

Każdy związek jest domem, do którego klucze znajdują się w rękach mieszkańców.

Albert Schweitzer

Ten, kto ma odwagę oceniać siebie samego, staje się coraz lepszy.

Seneka Młodszy

Najwyższym dobrem jest duch, gardzący przypadkowymi dobrami, rozradowany cnotą, albo ściślej, niepokonana siła ducha, doświadczona we wszystkim, łagodna w czynach, delikatna w obejściu z innymi.

Nie rozglądaj się za szczęściem, bo w ten sposób go nie zobaczysz. Ono jest w Tobie i tylko w Tobie samym!

Wierz mi, prawdziwa radość jest rzeczą poważną.

Seneka Starszy

Dwie rzeczy dają duszy największą siłę: wierność prawdzie i wiara w siebie.

Prawdę należy mówić tylko temu, kto chce jej słuchać.

George Bernard Shaw

Ideały są jak gwiazdy. Jeśli nawet nie możemy ich osiągnąć, to należy się według nich orientować.

Richard B. Sheridan

Najpewniejszym sposobem na uniknięcie porażki jest determinacja, by osiągnąć sukces.

Maria Skłodowska-Curie

Jeśli to zajmie sto lat, to trudno, ale nie przestanę pracować tak długo, jak żyję.

Sokrates

Mądrość zależy od trzech rzeczy: osobowości, wiedzy, samokontroli.

William Szekspir

O ileż lepiej płakać z radości niż znajdować radość w płaczu.

Amy Tan

Kiedy piszesz, musisz zebrać w jeden strumień wszystkie swobodne prądy serca.

Władysław Tatarkiewicz

Aby człowiek mógł być zadowolony z życia, jednym z najistotniejszych warunków jest, aby był przekonany, że ma ono jakiś sens, jakąś wartość.

Do szczęścia należą dwie rzeczy: wieść życie, z którego jest się zadowolonym, i być zadowolonym z życia, które się wiedzie.

Od człowieka zależy, czy przeszkody, jakie ma w życiu, będą mu dokuczać więcej czy mniej lub też wcale nie będą dlań przeszkodami.

Carol Anne Tavris, Elliot Aronson

Nasze dobre uczynki mogą tworzyć spiralę życzliwości i współczucia – „błędne koło dobroci".

Henry David Thoreau

Chciałbym, ażeby każdy z wielkim staraniem wybrał własną drogę i szedł naprzód właśnie nią, zamiast drogą ojca, matki czy sąsiada.

Nic nie dodaje odwagi bardziej niż niekwestionowana zdolność człowieka do podźwignięcia własnego życia poprzez świadome działanie.

Paul Tillich

Męstwo, w połączeniu z mądrością, zawiera umiarkowanie człowieka w stosunku do siebie oraz sprawiedliwość w stosunku do innych.

Józef Tischner

Dzięki swoim wolnym decyzjom, dzięki odczuwanym wartościom, dzięki tysiącom podjętych czynności człowiek nieustannie tworzy samego siebie.

Brian Tracy

Twoje życie staje się lepsze, tylko kiedy Ty stajesz się lepszy.

Twój charakter jest Twoim najważniejszym atutem, dlatego powinieneś pracować nad sobą przez całe życie.

Mark Twain

Aby zerwać z nawykiem, wyrób sobie inny, który go wymaże.

Spraw, aby każdy dzień miał szansę stać się najpiękniejszym dniem Twego życia.

Jan Twardowski

Aby żyć w zgodzie z innymi, człowiek musi najpierw pogodzić się z samym sobą.

Wielkie dzieło nawrócenia świata rozpoczyna się od małych nieraz wysiłków, od budowania zgody w naszych rodzinach, parafiach, w środowiskach pracy.

Wergiliusz

Ludzie potrafią, gdyż sądzą, że potrafią.

Paul Zulehner

Kto nie ma odwagi do marzeń, nie będzie miał siły do walki.

Przysłowie angielskie:

Aby być szczęśliwym, trzeba pragnąć, działać i pracować, taki jest porządek przyrody, której życie polega na działaniu.

Przysłowie japońskie:

Ten jest ubogi, kto nie odczuwa zadowolenia.

Napis na budynku Williams College w Williamstown (USA):

Pnij się wysoko – Twoją metą niebo, Twoim celem gwiazda.

Dodatek 2

Książki, które rozwijają i inspirują

Albright M., Carr C., *Największe błędy menedżerów*, Warszawa 1997.

Allen B.D., Allen W.D., *Formuła 2+2. Skuteczny coaching*, Warszawa 2006.

Anderson Ch., *Za darmo: przyszłość najbardziej radykalnej z cen*, Kraków 2011.

Anthony R., *Pełna wiara w siebie*, Warszawa 2005.

Ariely D., *Zalety irracjonalności. Korzyści z postępowania wbrew logice w domu i pracy*, Wrocław 2010.

Bates W.H., *Naturalne leczenie wzroku bez okularów*, Katowice 2011.

Bettger F., *Jak umiejętnie sprzedawać i zwielokrotnić dochody*, Warszawa 1995.
Blanchard K., Johnson S., *Jednominutowy menedżer*, Konstancin-Jeziorna 1995.
Blanchard K., O'Connor M., *Zarządzanie poprzez wartości*, Warszawa 1998.
Bogacka A.W., *Zdrowie na talerzu*, Białystok 2008.
Bollier D., *Mierzyć wyżej. Historie 25 firm, które osiągnęły sukces, łącząc skuteczne zarządzanie z realizacją misji społecznych*, Warszawa 1999.
Bond W.J., *199 sytuacji, w których tracimy czas, i jak ich uniknąć*, Gdańsk 1995.
Bono E. de, *Dziecko w szkole kreatywnego myślenia*, Gliwice 2010.
Bono E. de, *Sześć kapeluszy myślowych*, Gliwice 2007.
Bono E. de, *Sześć ram myślowych*, Gliwice 2009.
Bono E. de, *Wodna logika. Wypłyń na szerokie wody kreatywności*, Gliwice 2011.
Bossidy L., Charan R., *Realizacja. Zasady wprowadzania planów w życie*, Warszawa 2003.
Branden N., *Sześć filarów poczucia własnej wartości*, Łódź 2010.

Branson R., *Zaryzykuj – zrób to! Lekcje życia*, Warszawa-Wesoła 2012.

Brothers J., Eagan E, *Pamięć doskonała w 10 dni*, Warszawa 2000.

Buckingham M., *To jedno, co powinieneś wiedzieć... o świetnym zarządzaniu, wybitnym przywództwie i trwałym sukcesie osobistym*, Warszawa 2006.

Buckingham M., *Wykorzystaj swoje silne strony. Użyj dźwigni swojego talentu*, Waszawa 2010

Buckingham M., Clifton D.O., *Teraz odkryj swoje silne strony*, Warszawa 2003.

Butler E., Pirie M., *Jak podwyższyć swój iloraz inteligencji?*, Gdańsk 1995.

Buzan T., *Mapy myśli*, Łódź 2008.

Buzan T., *Pamięć na zawołanie*, Łódź 1999.

Buzan T., *Podręcznik szybkiego czytania*, Łódź 2003.

Buzan T., *Potęga umysłu. Jak zyskać sprawność fizyczną i umysłową: związek umysłu i ciała*, Warszawa 2003.

Buzan T., Dottino T., Israel R., *Zwykli ludzie – liderzy. Jak maksymalnie wykorzystać kreatywność pracowników*, Warszawa 2008.

Carnegie D., *I ty możesz być liderem*, Warszawa 1995.

Carnegie D., *Jak przestać się martwić i zacząć żyć*, Warszawa 2011.

Carnegie D., *Jak zdobyć przyjaciół i zjednać sobie ludzi*, Warszawa 2011.

Carnegie D., *Po szczeblach słowa. Jak stać się doskonałym mówcą i rozmówcą*, Warszawa 2009.

Carnegie D., Crom M., Crom J.O., *Szkoła biznesu. O pozyskiwaniu klientów na zawsze*, Warszawa 2003

Cialdini R., *Wywieranie wpływu na ludzi*, Gdańsk 1998.

Clegg B., *Przyspieszony kurs rozwoju osobistego*, Warszawa 2002.

Cofer C.N., Appley M.H., *Motywacja: teoria i badania*, Warszawa 1972.

Cohen H., *Wszystko możesz wynegocjować. Jak osiągnąć to, co chcesz*, Warszawa 1997.

Covey S.R., *3. rozwiązanie*, Poznań 2012.

Covey S.R., *7 nawyków skutecznego działania*, Poznań 2007.

Covey S.R., *8. nawyk*, Poznań 2006.
Covey S.R., Merrill A.R., Merrill R.R., *Najpierw rzeczy najważniejsze*, Warszawa 2007.
Craig M., *50 najlepszych (i najgorszych) interesów w historii biznesu*, Warszawa 2002.
Csikszentmihalyi M., *Przepływ: psychologia optymalnego doświadczenia*, Wrocław 2005.
Davis R.C., Lindsmith B., *Ludzie renesansu: umysły, które ukształtowały erę nowożytną*, Poznań 2012.
Davis R.D., Braun E.M., *Dar dysleksji. Dlaczego niektórzy zdolni ludzie nie umieją czytać i jak mogą się nauczyć*, Poznań 2001.
Dearlove D., *Biznes w stylu Richarda Bransona. 10 tajemnic twórcy megamarki*, Gdańsk 2009.
DeVos D., *Podstawy wolności. Wartości decydujące o sukcesie jednostek i społeczeństw*, Konstancin-Jeziorna 1998.
DeVos R.M., Conn Ch.P., *Uwierz! Credo człowieka czynu, współzałożyciela Amway Corporation, hołdującego zasadom, które uczyniły Amerykę wielką*, Warszawa 1994.

Dixit A.K., Nalebuff B.J., *Myślenie strategiczne. Jak zapewnić sobie przewagę w biznesie, polityce i życiu prywatnym*, Gliwice 2009.

Dixit A.K., Nalebuff B.J., *Sztuka strategii. Teoria gier w biznesie i życiu prywatnym*, Warszawa 2009.

Dobson J., *Jak budować poczucie wartości w swoim dziecku*, Lublin 1993.

Doskonalenie strategii (seria *Harvard Bussines Review*), praca zbiorowa, Gliwice 2006.

Dryden G., Vos J., *Rewolucja w uczeniu*, Poznań 2000.

Dyer W.W., *Kieruj swoim życiem*, Warszawa 2012.

Dyer W.W., *Pokochaj siebie*, Warszawa 2008.

Edelman R.C., Hiltabiddle T.R., Manz Ch.C., *Syndrom miłego człowieka*, Gliwice 2010.

Eichelberger W., Forthomme P., Nail F., *Quest. Twoja droga do sukcesu. Nie ma prostych recept na sukces, ale są recepty skuteczne*, Warszawa 2008.

Enkelmann N.B., *Biznes i motywacja*, Łódź 1997.

Eysenck H. i M., *Podpatrywanie umysłu. Dlaczego ludzie zachowują się tak, jak się zachowują?*, Gdańsk 1996.

Ferriss T., *4-godzinny tydzień pracy. Nie bądź płatnym niewolnikiem od 7.00 do 17.00*, Warszawa 2009.

Flexner J.T., *Washington. Człowiek niezastąpiony*, Warszawa 1990.

Forward S., Frazier D., *Szantaż emocjonalny: jak obronić się przed manipulacją i wykorzystaniem*, Gdańsk 2011.

Frankl V.E., *Człowiek w poszukiwaniu sensu*, Warszawa 2009.

Frankl V.E., *Wola sensu*,Warszawa 2010.

Fraser J.F., *Jak Ameryka pracuje*, Przemyśl 1910.

Freud Z., *Wstęp do psychoanalizy*, Warszawa 1994.

Fromm E., *Mieć czy być*, Poznań 2009.

Fromm E., *Niech się stanie człowiek. Z psychologii etyki*, Warszawa 2005.

Fromm E., *O sztuce miłości*, Poznań 2002.

Fromm E., *O sztuce słuchania. Terapeutyczne aspekty psychoanalizy*, Warszawa 2002.

Fromm E., *Serce człowieka. Jego niezwykła zdolność do dobra i zła*, Warszawa 2000.

Fromm E., *Ucieczka od wolności*, Warszawa 2001.

Fromm E., *Zerwać okowy iluzji*, Poznań 2000.
Galloway D., *Sztuka samodyscypliny*, Warszawa 1997.
Gardner H., *Inteligencje wielorakie – teoria w praktyce*, Poznań 2002.
Gawande A., *Potęga checklisty: jak opanować chaos i zyskać swobodę w działaniu*, Kraków 2012.
Gelb M.J., *Leonardo da Vinci odkodowany*, Poznań 2005.
Gelb M.J., Miller Caldicott S., *Myśleć jak Edison*, Poznań 2010.
Gelb M.J., *Myśleć jak geniusz*, Poznań 2004.
Gelb M.J., *Myśleć jak Leonardo da Vinci*, Poznań 2001.
Giblin L., *Umiejętność postępowania z innymi...*, Kraków 1993.
Girard J., Casemore R., *Pokonać drogę na szczyt*, Warszawa 1996.
Glass L., *Toksyczni ludzie*, Poznań 1998.
Godlewska M., *Jak pokonałam raka*, Białystok 2011.
Godwin M., *Kim jestem? 101 dróg do odkrycia siebie*, Warszawa 2001.

Goleman D., *Inteligencja emocjonalna*, Poznań 2002.

Gordon T., *Wychowywanie bez porażek szefów, liderów, przywódców*, Warszawa 1996.

Gorman T., *Droga do skutecznych działań. Motywacja*, Gliwice 2009.

Gorman T., *Droga do wzrostu zysków. Innowacja*, Gliwice 2009.

Greenberg H., Sweeney P., *Jak odnieść sukces i rozwinąć swój potencjał*, Warszawa 2007.

Habeler P., Steinbach K., *Celem jest szczyt*, Warszawa 2011.

Hamel G., Prahalad C.K., *Przewaga konkurencyjna jutra*, Warszawa 1999.

Hamlin S., *Jak mówić, żeby nas słuchali*, Poznań 2008.

Heinrich Bernd, *Wieczne życie. O zwierzęcej formie śmierci*, Wołowiec 2014.

Hill N., *Klucze do sukcesu*, Warszawa 1998.

Hill N., *Magiczna drabina do sukcesu*, Warszawa 2007.

Hill N., *Myśl!... i bogać się. Podręcznik człowieka interesu*, Warszawa 2012.

Hill N., *Początek wielkiej kariery*, Gliwice 2009.
Ingram D.B., Parks J.A., *Etyka dla żółtodziobów, czyli wszystko, co powinieneś wiedzieć o...*, Poznań 2003.
Jagiełło J., Zuziak W. [red.], *Człowiek wobec wartości*, Kraków 2006.
James W., *Pragmatyzm*, Warszawa 2009.
Jamruszkiewicz J., *Kurs szybkiego czytania*, Chorzów 2002.
Johnson S., *Tak czy nie. Jak podejmować dobre decyzje*, Konstancin-Jeziorna 1995.
Jones Ch., *Życie jest fascynujące*, Konstancin-Jeziorna 1993.
Kanter R.M., *Wiara w siebie. Jak zaczynają się i kończą dobre i złe passy*, Warszawa 2006.
Keller H., *Historia mojego życia*, Warszawa 1978.
King Barbara J., *Osobowość na talerzu*, Warszawa 2017.
Kirschner J., *Zwycięstwo bez walki. Strategie przeciw agresji*, Gliwice 2008.
Koch R., *Zasada 80/20. Lepsze efekty mniejszym nakładem sił i środków*, Konstancin-Jeziorna 1998.

Kopmeyer M.R., *Praktyczne metody osiągania sukcesu*, Warszawa 1994.

Ksenofont, *Cyrus Wielki. Sztuka zwyciężania*, Warszawa 2008.

Kuba A., Hausman J., *Dzieje samochodu*, Warszawa 1973.

Kumaniecki K., *Historia kultury starożytnej Grecji i Rzymu*, Warszawa 1964.

Lamont G., *Jak podnieść pewność siebie*, Łódź 2008.

Leigh A., Maynard M., *Lider doskonały*, Poznań 1999.

Littauer F., *Osobowość plus*, Warszawa 2007.

Loreau D., *Sztuka prostoty*, Warszawa 2009.

Lott L., Intner R., Mendenhall B., *Autoterapia dla każdego. Spróbuj w osiem tygodni zmienić swoje życie*, Warszawa 2006.

Maige Ch., Muller J.-L., *Walka z czasem. Atut strategiczny przedsiębiorstwa*, Warszawa 1995.

Mansfield P., *Jak być asertywnym*, Poznań 1994.

Martin R., *Niepokorny umysł. Poznaj klucz do myślenia zintegrowanego*, Gliwice 2009.

Maslow A., *Motywacja i osobowość*, Warszawa 2009.

Matusewicz Cz., *Wprowadzenie do psychologii*, Warszawa 2011.
Maxwell J.C., *21 cech skutecznego lidera*, Warszawa 2012.
Maxwell J.C., *Tworzyć liderów, czyli jak wprowadzać innych na drogę sukcesu*, Konstancin-Jeziorna 1997.
Maxwell J.C., *Wszyscy się komunikują, niewielu potrafi się porozumieć*, Warszawa 2011.
McCormack M.H., *O zarządzaniu*, Warszawa 1998.
McElroy K., *Jak inwestować w nieruchomości. Znajdź ukryte zyski, których większość inwestorów nie dostrzega*, Osielsko 2008.
McGee P., *Pewność siebie. Jak mała zmiana może zrobić wielką różnicę*, Gliwice 2011.
McGrath H., Edwards H., *Trudne osobowości. Jak radzić sobie ze szkodliwymi zachowaniami innych oraz własnymi*, Poznań 2010.
Mellody P., Miller A.W., Miller J.K., *Toksyczna miłość i jak się z niej wyzwolić*, Warszawa 2013.
Melody B., *Koniec współuzależnienia*, Poznań 2002.

Miller M., *Style myślenia*, Poznań 2000.
Mingotaud F., *Sprawny kierownik. Techniki osiągania sukcesów*, Warszawa 1994.
MJ DeMarco, *Fastlane milionera*, Katowice 2012.
Morgenstern J., *Jak być doskonale zorganizowanym*, Warszawa 2000.
Nay W.R., *Związek bez gniewu. Jak przerwać błędne koło kłótni, dąsów i cichych dni*, Warszawa 2011.
Nierenberg G.I., *Ekspert. Czy nim jesteś?*, Warszawa 2001.
Ogger G., *Geniusze i spekulanci, Jak rodził się kapitalizm*, Warszawa 1993.
Osho, *Księga zrozumienia. Własna droga do wolności*, Warszawa 2009.
Parkinson C.N., *Prawo pani Parkinson*, Warszawa 1970.
Peale N.V., *Entuzjazm zmienia wszystko. Jak stać się zwycięzcą*, Warszawa 1996.
Peale N.V., *Możesz, jeśli myślisz, że możesz*, Warszawa 2005.
Peale N.V., *Rozbudź w sobie twórczy potencjał*, Warszawa 1997.

Peale N.V., *Uwierz i zwyciężaj. Jak zaufać swoim myślom i poczuć pewność siebie*, Warszawa 1999.
Peters Steve, *Paradoks szympansa*, Warszawa 2012.
Pietrasiński Z., *Psychologia sprawnego myślenia*, Warszawa 1959.
Pilikowski J., *Podróż w świat etyki*, Kraków 2010.
Pink D.H., *Drive*, Warszawa 2011.
Pirożyński M., *Kształcenie charakteru*, Poznań 1999.
Pismo Święte Starego i Nowego Testamentu. Biblia Tysiąclecia, Warszawa 2002.
Pismo Święte w Przekładzie Nowego Świata, 1997.
Popielski K., *Psychologia egzystencji. Wartości w życiu*, Lublin 2009.
Poznaj swoją osobowość, Bielsko-Biała 1996.
Przemieniecki J., *Psychologia jednostki. Odkoduj szyfr do swego umysłu*, Warszawa 2008.
Pszczołowski T., *Umiejętność przekonywania i dyskusji*, Gdańsk 1998.
Reiman T., *Potęga perswazyjnej komunikacji*, Gliwice 2011.
Robbins A., *Nasza moc bez granic. Skuteczna me-*

toda osiągania życiowych sukcesów za pomocą NLP, Konstancin-Jeziorna 2009.
Robbins A., *Obudź w sobie olbrzyma... i miej wpływ na całe swoje życie – od zaraz*, Poznań 2002.
Robbins A., *Olbrzymie kroki*, Warszawa 2001.
Robert M., *Nowe myślenie strategiczne: czyste i proste*, Warszawa 2006.
Robinson Ken, *Kreatywne szkoły*, Kraków 2015.
Robinson Ken, *Oblicza umysłu*, Gliwice 2011.
Robinson J.W., *Imperium wolności. Historia Amway Corporation*, Warszawa 1997.
Rose C., Nicholl M.J., *Ucz się szybciej, na miarę XXI wieku*, Warszawa 2003.
Rose N., *Winston Churchill. Życie pod prąd*, Warszawa 1996.
Rychter W., *Dzieje samochodu*, Warszawa 1962.
Ryżak Z., *Zarządzanie energią kluczem do sukcesu*, Warszawa 2008.
Savater F., *Etyka dla syna*, Warszawa 1996.
Schäfer B., *Droga do finansowej wolności. Pierwszy milion w ciągu siedmiu lat*, Warszawa 2011.

Schäfer B., *Zasady zwycięzców*, Warszawa 2007.
Scherman J.R., *Jak skończyć z odwlekaniem i działać skutecznie*, Warszawa 1995.
Schuller R.H., *Ciężkie czasy przemijają, bądź silny i przetrwaj je*, Warszawa 1996.
Schwalbe B., Schwalbe H., Zander E., *Rozwijanie osobowości. Jak zostać sprzedawcą doskonałym*, tom 2, Warszawa 1994.
Schwartz D.J., *Magia myślenia kategoriami sukcesu*, Konstancin-Jeziorna 1994.
Schwartz D.J., *Magia myślenia na wielką skalę. Jak zaprząc duszę i umysł do wielkich osiągnięć*, Warszawa 2008.
Shapiro Paul, *Czyste mięso*, Warszawa 2018.
Scott S.K., *Notatnik milionera. Jak zwykli ludzie mogą osiągać niezwykłe sukcesy*, Warszawa 1997.
Sedlak K. [red.], *Jak poszukiwać i zjednywać najlepszych pracowników*, Kraków 1995.
Seiwert L.J., *Jak organizować czas*, Warszawa 1998.
Seligman M.E.P., *Co możesz zmienić, a czego nie możesz*, Poznań 1995.
Seligman M.E.P., *Pełnia życia*, Poznań 2011.

Seneka, *Myśli*, Kraków 1989.
Sewell C., Brown P.B., *Klient na całe życie, czyli jak przypadkowego klienta zmienić w wiernego entuzjastę naszych usług*, Warszawa 1992.
Słownik pisarzy antycznych, Warszawa 1982.
Smith A., *Umysł*, Warszawa 1989.
Spector R., *Amazon.com. Historia przedsiębiorstwa, które stworzyło nowy model biznesu*, Warszawa 2000.
Spence G., *Jak skutecznie przekonywać... wszędzie i każdego dnia*, Poznań 2001.
Sprenger R.K., *Zaufanie # 1*, Warszawa 2011.
Staff L., *Michał Anioł*, Warszawa 1990.
Stone D.C., *Podążaj za swymi marzeniami*, Konstancin-Jeziorna 1998.
Swiet J., *Kolumb*, Warszawa 1979.
Szurawski M., *Pamięć. Trening interaktywny*, Łódź 2004.
Szyszkowska M., *W poszukiwaniu sensu życia*, Warszawa 1997.
Tatarkiewicz W., *O szczęściu*, Warszawa 1979.
Tavris C., Aronson E., *Błądzą wszyscy (ale nie ja)*, Sopot-Warszawa 2008.

Tracy B., *Milionerzy z wyboru. 21 tajemnic sukcesu*, Warszawa 2002.

Tracy B., *Plan lotu. Prawdziwy sekret sukcesu*, Warszawa 2008.

Tracy B., Scheelen F.M., *Osobowość lidera*, Warszawa 2001.

Tracy B., *Sztuka zatrudniania najlepszych. 21 praktycznych i sprawdzonych technik do wykorzystania od zaraz*, Warszawa 2006.

Tracy B., *Turbostrategia. 21 skutecznych sposobów na przekształcenie firmy i szybkie zwiększenie zysków*, Warszawa 2004.

Tracy B., *Zarabiaj więcej i awansuj szybciej. 21 sposobów na przyspieszenie kariery*, Warszawa 2007.

Tracy B., *Zarządzanie czasem*, Warszawa 2008.

Tracy B., *Zjedz tę żabę. 21 metod podnoszenia wydajności w pracy i zwalczania skłonności do zwlekania*, Warszawa 2005.

Twentier J.D., *Sztuka chwalenia ludzi*, Warszawa 1998.

Urban H., *Moc pozytywnych słów*, Warszawa 2012.

Ury W., *Odchodząc od nie. Negocjowanie od konfrontacji do kooperacji*, Warszawa 2000.

Vance Erik, *Potęga sugestii*, Warszawa 2018.

Vitale J., *Klucz do sekretu. Przyciągnij do siebie wszystko, czego pragniesz*, Gliwice 2009.

Waitley D., *Być najlepszym*, Warszawa 1998.

Waitley D., *Imperium umysłu*, Konstancin-Jeziorna 1997.

Waitley D., *Podwójne zwycięstwo*, Warszawa 1996.

Waitley D., *Sukces zależy od właściwego momentu*, Warszawa 1997.

Waitley D., Tucker R.B., *Gra o sukces. Jak zwyciężać w twórczej rywalizacji*, Warszawa 1996.

Walker Timothy D., *Fińskie dzieci uczą się najlepiej*, Warszawa 2017.

Walton S., Huey J., *Sam Walton. Made in America*, Warszawa 1994.

Waterhouse J., Minors D., Waterhouse M., *Twój zegar biologiczny. Jak żyć z nim w zgodzie*, Warszawa 1993.

Ware Bronnie, *Czego najbardziej żałują umierający*, Warszawa 2016.

Wegscheider-Cruse S., *Poczucie własnej wartości. Jak pokochać siebie*, Gdańsk 2007.

Wilson P., *Idealna równowaga. Jak znaleźć czas i sposób na pełnię życia*, Warszawa 2010.

Ziglar Z., *Do zobaczenia na szczycie*, Warszawa 1995.

Ziglar Z., *Droga na szczyt*, Konstancin-Jeziorna 1995.

Ziglar Z., *Ponad szczytem*, Warszawa 1995.

O autorze

Andrzej Moszczyński od 30 lat aktywnie zajmuje się działalnością biznesową. Jego główną kompetencją jest tworzenie skutecznych strategii dla konkretnych obszarów biznesu.

W latach 90. zdobywał doświadczenie w branży reklamowej – był prezesem i założycielem dwóch spółek z o.o. Zatrudniał w nich ponad 40 osób. Spółki te były liderami w swoich branżach, głównie w reklamie zewnętrznej – tranzytowej (reklamy na tramwajach, autobusach i samochodach). W 2001 r. przejęciem pakietów kontrolnych w tych spółkach zainteresowały się dwie firmy: amerykańska spółka giełdowa działająca w ponad 30 krajach, skupiająca się na reklamie radiowej i reklamie zewnętrznej oraz największy w Europie fundusz inwestycyjny.

W 2003 r. Andrzej sprzedał udziały w tych spółkach inwestorom strategicznym.

W latach 2005-2015 był prezesem i założycielem spółki, która zajmowała się kompleksową komercjalizacją liderów rynku deweloperskiego (firma w sumie sprzedała ponad 1000 mieszkań oraz 350 apartamentów hotelowych w systemie condo).

W latach 2009-2018 był akcjonariuszem strategicznym oraz przewodniczącym rady nadzorczej fabryki urządzeń okrętowych Expom SA. Spółka ta zasięgiem działania obejmuje cały świat, dostarczając urządzenia (w tym dźwigi i żurawie) dla branży morskiej. W 2018 r. sprzedał pakiet swoich akcji inwestorowi branżowemu.

W 2014 r. utworzył w USA spółkę LLC, która działa w branży wydawniczej. W ciągu 14 lat (poczynając od 2005 r.) napisał w sumie 22 kieszonkowe poradniki z dziedziny rozwoju kompetencji miękkich – obszaru, który ma między innymi znaczenie strategiczne dla budowania wartości niematerialnych i prawnych przedsiębiorstw. Poradniki napisane przez Andrzeja koncentrują się na przekazaniu wiedzy o wartościach i rozwoju osobowości – czynnikach odpowiedzialnych za prowadzenie dobrego życia, bycie spełnionym i szczęśliwym.

Andrzej zdobywał wiedzę z dziedziny budowania wartości firm oraz tworzenia skutecznych strategii przy udziale następujących instytucji: Ernst & Young, Gallup Institute, PricewaterhauseCoopers (PwC) oraz Harward Business Review. Jego kompetencje można przyrównać do pracy **stroiciela instrumentu.**

Kiedy miał 7 lat, mama zabrała go do szkoły muzycznej, aby sprawdzić, czy ma talent. Przeszedł test pozytywnie – okazało się, że może rozpocząć edukację muzyczną. Z różnych powodów to nie nastąpiło. Często jednak w jego książkach czy wykładach można usłyszeć bądź przeczytać przykłady związane ze światem muzyki.

Dlaczego można przyrównać jego kompetencje do pracy stroiciela na przykład fortepianu? Stroiciel udoskonala fortepian, aby jego dźwięk był idealny. Każdy fortepian ma swój określony potencjał mierzony jakością dźwięku – dźwięku, który urzeka i wprowadza ludzi w stan relaksu, a może nawet pozytywnego ukojenia. Podobnie jak stroiciel Andrzej udoskonala różne procesy – szczególnie te, które dotyczą relacji z innymi ludźmi. Wierzy, że ludzie posiadają mechanizm psychologiczny, który można symbolicznie przyrównać do **mentalnego żyroskopu** czy **mentalnego noktowizora**. Rola Andrzeja polega na naprawieniu bądź wprowadzeniu w ruch tych „urządzeń".

Żyroskop jest urządzeniem, które niezależnie od komplikacji pokazuje określony kierunek. Tego typu urządzenie wykorzystywane jest na statkach i w samolotach. Andrzej jest przekonany, że rozwijanie **koncentracji i wyobraźni** prowadzi do włączenia naszego mentalnego żyroskopu. Dzięki temu możemy między innymi znajdować skuteczne rozwiązania skomplikowanych wyzwań.

Noktowizor to wyjątkowe urządzenie, które umożliwia widzenie w ciemności. Jest wykorzystywane przez wojsko, służby wywiadowcze czy myśliwych. Życie Andrzeja ukierunkowane jest na badanie tematu źródeł wewnętrznej motywacji – siły skłaniającej do działania, do przejawiania inicjatywy, do podejmowania wyzwań, do wchodzenia w obszary zupełnie nieznane. Andrzej ma przekonanie, że rozwijanie **poczucia własnej wartości** prowadzi do włączenia naszego mentalnego noktowizora. Bez optymalnego poczucia własnej wartości życie jest ciężarem.

W swojej pracy Andrzej koncentruje się na procesach podnoszących jakość następujących obszarów: właściwe interpretowanie zdarzeń, wyciąganie wniosków z analizy porażek oraz sukcesów, formułowanie właściwych pytań, a także korzystanie z wyobraźni w taki sposób, aby przewidywać swoją przyszłość, co łączy się bezpośrednio z umiejętnością strategicznego myślenia. Umiejętności te pomagają rozumieć mechanizmy wywierania wpływu przez inne osoby i umożliwiają niepoddawanie się wszechobecnej indoktrynacji. Kiedy mentalny noktowizor działa poprawnie, przekazuje w odpowiednim czasie sygnały ostrzegające, że ktoś posługuje się manipulacją, aby osiągnąć swoje cele.

Andrzej posiada również doświadczenie jako prelegent, co związane jest z jego zaangażowaniem w działania społeczne. W ostatnich 30 latach był zapraszany do udziału w różnych szkoleniach i seminariach, zgromadzeniach czy kongresach – w sumie jako mówca wystąpił ponad 700 razy. Jego przemówienia i wykłady znane są z inspirujących przykładów i zachęcających pytań, które mobilizują słuchaczy do działania.

OFERTA WYDAWNICZA

Andrew Moszczynski Group sp. z o.o.

Andrzej Moszczyński
Inaczej
o wartościach
INSPIRUJĄCY PORADNIK

Andrzej Moszczyński
Inaczej
o pozytywnym
myśleniu
INSPIRUJĄCY PORADNIK

Andrzej Moszczyński
Inaczej
o inicjatywie
INSPIRUJĄCY PORADNIK

Andrzej Moszczyński
Inaczej
o miłości
INSPIRUJĄCY PORADNIK

Andrzej Moszczyński
Inaczej
o motywacji
INSPIRUJĄCY PORADNIK

Andrzej Moszczyński
Inaczej
o podejmowaniu
decyzji
INSPIRUJĄCY PORADNIK

Andrzej Moszczyński
Inaczej
o byciu
realistą
INSPIRUJĄCY PORADNIK

Andrzej Moszczyński
Inaczej
o priorytetach
INSPIRUJĄCY PORADNIK

Andrzej Moszczyński
Inaczej
o byciu
wnikliwym
INSPIRUJĄCY PORADNIK

Andrzej Moszczyński
Inaczej
o byciu
asertywnym
INSPIRUJĄCY PORADNIK

Andrzej Moszczyński
Inaczej
o wierze
w siebie
INSPIRUJĄCY PORADNIK

Andrzej Moszczyński
Inaczej
o umiejętności
wyznaczania
i osiągania celów
INSPIRUJĄCY PORADNIK

Andrzej Moszczyński
Inaczej
o zaufaniu
INSPIRUJĄCY PORADNIK

Andrzej Moszczyński
Inaczej
o planowaniu
INSPIRUJĄCY PORADNIK

Andrzej Moszczyński
Inaczej
o byciu
odważnym
INSPIRUJĄCY PORADNIK

Andrzej Moszczyński
Inaczej
o byciu
wytrwałym
INSPIRUJĄCY PORADNIK

Andrzej Moszczyński
Inaczej
o uczeniu się
INSPIRUJĄCY PORADNIK

Andrzej Moszczyński
Inaczej
o entuzjazmie
INSPIRUJĄCY PORADNIK